Estudando a
Mediunidade

MARTINS PERALVA

Estudando a Mediunidade

*

SEGUNDO A OBRA
NOS DOMÍNIOS DA MEDIUNIDADE
DE
FRANCISCO CÂNDIDO XAVIER

Copyright © 1956 *by*
FEDERAÇÃO ESPÍRITA BRASILEIRA – FEB

27ª edição – 19ª impressão – 1 mil exemplares – 6/2025

ISBN 978-85-7328-623-6

Todos os direitos reservados. Nenhuma parte desta publicação pode ser reproduzida, armazenada ou transmitida, total ou parcialmente, por quaisquer métodos ou processos, sem autorização do detentor do *copyright*.

FEDERAÇÃO ESPÍRITA BRASILEIRA – FEB
SGAN 603 – Conjunto F – Avenida L2 Norte
70830-106 – Brasília (DF) – Brasil
www.febeditora.com.br
editorial@febnet.org.br
+55 61 2101 6161

Pedidos de livros à FEB
Comercial
Tel.: (61) 2101 6161 – comercial@febnet.org.br

Todo o papel empregado nesta obra possui certificação FSC® sob responsabilidade do fabricante obtido através de fontes responsáveis.
* marca registrada de Forest Stewardship Council

Adquirindo esta obra, você está colaborando com as ações de assistência e promoção social da FEB e com o Movimento Espírita na divulgação do Evangelho de Jesus à luz do Espiritismo.

Dados Internacionais de Catalogação na Publicação (CIP)
(Federação Espírita Brasileira – Biblioteca de Obras Raras)

P427e   Peralva, Martins, 1918–2007
           Estudando a mediunidade: segundo a obra Nos domínios da mediunidade de Francisco Cândido Xavier / Martins Peralva. – 27. ed. – 19. imp. – Brasília: FEB, 2025.

           320 p.; 21 cm – (Coleção Martins Peralva)

           ISBN 978-85-7328-623-6

           1. Luiz, André (Espírito). Nos domínios da mediunidade. 2. Mediunidade. I. Federação Espírita Brasileira. II. Título. III. Coleção.

CDD 133.9
CDU 133.7
CDE 30.03.00

Sumário

	Palavras ao autor	7
	Introdução	9
1	Mediunidade com Jesus	11
2	Espiritismo e mediunidade	19
3	Problemas mentais	23
4	Vibrações compensadas	33
5	O psicoscópio	41
6	Irmão Raul Silva	49
7	Médiuns	55
8	Tomadas mentais	59
9	Incorporação	67
10	Mecanismo das comunicações	75
11	Obsessões	85
12	Pontualidade	95
13	Vampirismo	99
14	Desenvolvimento mediúnico	107
15	Desdobramento mediúnico	115
16	Clarividência e clariaudiência	123
17	Sonhos	129

18	Espiritismo e lar	135
19	Estranha obsessão	141
20	Reajustamento	149
21	Servindo ao mal	157
22	Servindo ao bem	163
23	Lei do progresso	169
24	Mandato mediúnico	177
25	Proteção aos médiuns	187
26	Passes	191
27	Na hora do passe...	199
28	Receituário mediúnico	205
29	Objetivos do mediunismo	213
30	Suicídios	219
31	Comunhão mental	225
32	Almas em prece	233
33	Definindo a prece	239
34	Desencarnação	243
35	Licantropia	249
36	Animismo	253
37	Fixação mental	261
38	Mediunidade poliglota	267
39	Psicometria	271
40	Mediunidade sem Jesus	279
41	Distúrbios psíquicos	289
42	Materialização (I)	295
43	Materialização (II)	301
44	Materialização (III)	307
45	Cristo Redivivo	311
46	Assim seja...	317

Palavras ao autor

Sim, meu amigo, observa a cachoeira que surge aos teus olhos.

É um espetáculo de beleza, guardando imensos potenciais de energia.

Revela a glória da natureza.

Destaca-se pela imponência e impressiona pelo ruído.

Entretanto, para que se faça alicerce de benefícios mais amplos, é indispensável que a engenharia compareça, disciplinando-lhe a força.

É então que aparece a usina generosa, sustentando a indústria, estendendo o trabalho, inspirando a cultura e garantindo o progresso.

Assim também é a mediunidade.

Como a queda-d'água, pode nascer em qualquer parte.

Não é patrimônio exclusivo de um grupo, nem privilégio de alguém.

Desponta aqui e ali, adiante e acolá, guardando consigo revelações convincentes e possibilidades assombrosas.

Contudo, para que se converta em manancial de auxílio perene, é imprescindível que a Doutrina Espírita lhe clareie as manifestações e lhe governe os impulsos.

Só então se erige em fonte contínua de ensinamento e socorro, consolação e bênção.

Estudemo-la, pois, sob as diretrizes kardequianas que nos traçam seguro caminho para o Cristo de Deus, por intermédio da revivescência do Evangelho simples e puro, a fim de que mediunidade e médiuns se coloquem, realmente, a serviço da sublimação espiritual.

EMMANUEL
Página recebida pelo médium Francisco Cândido Xavier,
na noite de 21/10/1956, em Pedro Leopoldo (MG).

Introdução

A natureza deste livro pede, forçosamente, uma explicação inicial.

As considerações nele expostas, com a possível simplicidade, giram em torno do magnífico livro *Nos domínios da mediunidade*, ditado por André Luiz ao médium Francisco Cândido Xavier.

Baseia-se, portanto, nas observações desse Espírito quando, sob a esclarecida orientação do assistente Áulus, e na companhia de Hilário, visitou diversos núcleos espíritas consagrados ao serviço mediúnico.

Outros livros, mediúnicos e de autores encarnados, forneceram-nos, como se verá, elementos para a sua organização, com prevalência, contudo, dos informes espirituais.

Os trechos colocados entre aspas, e onde não houver referência aos autores, foram colhidos em outras fontes.

Quanto à ideia da sua publicação, decorreu do seguinte: ao ser editado *Nos domínios da mediunidade*, sentimos que o que se precisava saber sobre mediunismo — na atualidade, considerando a progressividade da Revelação — para aplicação nos milhares de núcleos que funcionam pelo Brasil inteiro, em nome da Fraternidade Cristã, ali se achava contido, por meio do relato de André Luiz e das primorosas elucidações de Áulus.

Iniciamos, então, no Centro Espírita "Célia Xavier", de Belo Horizonte, o estudo sistemático do livro, capítulo a capítulo, utilizando gráficos no quadro negro.

Cada assunto era representado, na medida do possível, por diagramas com as respectivas chaves, cabendo-nos explicar que tais chaves, ao fazermos a transformação dos gráficos em capítulos para o livro, foram, em sua grande maioria, substituídas por expressões alfabéticas.

Assim procedemos levando em conta que as chaves dificultam, consideravelmente, o trabalho da linotipo.

Dessa maneira, as exposições feitas oralmente no "Célia Xavier", todas as quintas-feiras, aparecem no livro em forma de exposições escritas.

Os gráficos elucidativos de alguns capítulos são de autoria do desenhista Radicchi, nosso companheiro de Doutrina.

Nosso principal desejo, realizando esta tarefa, é de que possa o estudo ora feito ser útil a núcleos que se dedicam a atividades mediúnicas, com a esperança de que, em nosso movimento, o intercâmbio com os desencarnados expresse, acima de tudo, amor, devotamento, sinceridade, respeito e desinteresse, a fim de que "mediunidades e médiuns se coloquem, realmente, a serviço da sublimação espiritual".

A nossa alegria consistirá nisso.

1
Mediunidade com Jesus

Em quaisquer setores de atividade humana, é natural cultivemos, nas reentrâncias do coração, o anseio de melhoria e aperfeiçoamento.

O engenheiro que, após intenso labor, obtém o seu diploma, aprimorar-se-á, no estudo e no trabalho, a fim de dignificar a profissão escolhida, convertendo-se em construtor do progresso e do bem-estar geral.

O médico, no contato com o sofrimento e a enfermidade, na cirurgia ou na clínica, ampliará sempre os seus conhecimentos, com vistas à experiência no tempo. E, se honesto e bom, conquistará o respeito do meio onde vive.

O artífice, seja ele mecânico ou carpinteiro, sapateiro ou alfaiate, no humilde labor diuturno, estudando e aprendendo, adquirirá os recursos da técnica especializada, que o tornarão elemento valioso e indispensável no ambiente onde a divina Bondade o situou.

O advogado, no trato incessante com as leis, identificando-se com a hermenêutica do Direito, compulsando clássicos e modernos, abrirá ao próprio Espírito perspectivas sublimes para o ingresso à magistratura respeitável, em cujo templo, pela aplicação dos corretivos legais, cooperará, eficientemente, com o Senhor da Vida na implantação da Justiça e na sustentação da ordem jurídica.

Se esta ânsia evolutiva se compreende nos labores da vida contingente, cujas necessidades, em sua maioria, virtualmente desaparecem com a cessação da vida orgânica, que dizermos das realizações do Espírito eterno, das lutas e experiências que continuarão além da morte, para decidirem, afinal, no mundo espiritual, da felicidade ou da desventura do ser humano?

O quadro evolutivo contemporâneo assemelha-se a um cortejo que se dirige, simultaneamente, a uma necrópole e a um berçário.

Vamos sepultar uma civilização poluída e assistir, jubilosos, à alvorada de luz de um novo dia.

A humanidade, procurando destruir os grilhões que ainda a vinculam à Era da matéria, na qual predominam os sentimentos inferiorizados, apresenta dolorosos sintomas de decomposição, à maneira de um corpo que se esvai, lentamente, a fim de, pelo mistério do renascimento, dar vida a outro ser mais perfeito e formoso.

O médium, como criatura que realiza também, de modo penoso, a sua marcha redentora, aspirando a melhorar-se e atingir a vanguarda ascensional, ressente-se naturalmente, no exercício de sua faculdade, seja ela qual for, deste estado de coisas, revelador da ausência do Evangelho no coração humano.

Os problemas materiais, os instintos ainda falando, bem alto, na intimidade do próprio coração, a inclinação ao personalismo e à vaidade, à prepotência e ao amor-próprio, enfim, a condição ainda deficitária de sua individualidade espiritual, concorrem para que o Mais Alto encontre, nesta altura dos tempos, forte obstáculo à livre, plena e espontânea manifestação.

Justo e mesmo necessário será, portanto, que o médium guarde, igualmente, no coração, o desejo de, pelo estudo e pelo trabalho, pelo amor e pela meditação, sobrepor-se ao meio ambiente e escalar, com firmeza e decisão, os degraus da evolução consciente e definitiva, convertendo-se, assim, com redução do tempo, em espiritualizado instrumento das vozes do Senhor.

Esclarecem os instrutores espirituais que é "a mente a base de todos os fenômenos mediúnicos".

Assim sendo, a natureza dos nossos pensamentos, o tipo das nossas aspirações e o nosso sistema de vida, a se expressarem por meio de atos e palavras, pensamentos e atitudes, determinarão, sem dúvida, a qualidade dos Espíritos que, pela lei das afinidades, serão compelidos a sintonizarem conosco nas tarefas cotidianas e, especificamente, nas práticas mediúnicas.

Não podemos por enquanto, é verdade, desejar uma comunidade realmente cristã, onde todos se entendam, pensem no bem, pelo bem vivam e pelo bem realizem.

Seria, extemporaneamente, a Era do Espírito, realização que pertencerá aos milênios futuros, quando tivermos a presença do Cristo de Deus no próprio coração, convertido em Templo divino, em condições, por conseguinte, de repetirmos, leal e sinceramente, com o grande bandeirante do Evangelho: "Já não sou eu quem vive, mas Cristo que vive em mim".

Todavia, se é impossível, por agora, a cristianização coletiva da humanidade do nosso pequenino orbe, Jesus continua falando ao nosso coração, em silêncio, desde o suave episódio da manjedoura, quando acendeu, nas palhas do estábulo de Belém, a luz da humana redenção.

Cada um de nós terá de construir a própria edificação.

Esta transição inevitável, da Era da matéria para a Era do Espírito, pode começar a ser efetivada, humildemente, silenciosamente, perseverantemente, no mundo interior de cada criatura.

Comecemos, desde já, o processo de autotransformação.

Este processo renovador se verificará, indubitavelmente, na base da troca ou substituição de sentimentos.

Modifiquemos os hábitos, aprimoremos os sentimentos, melhoremos o vocabulário, purifiquemos os olhos, exerçamos a fraternidade, amemos e sirvamos, estudemos e aprendamos incessantemente.

Temos que deixar os milenários hábitos que nos cristalizaram os corações, como abandonamos a roupa velha ou o calçado imprestável que não mais satisfazem os imperativos da decência e da higiene.

A fim de melhor entendermos a base de tais substituições, exemplifiquemos:

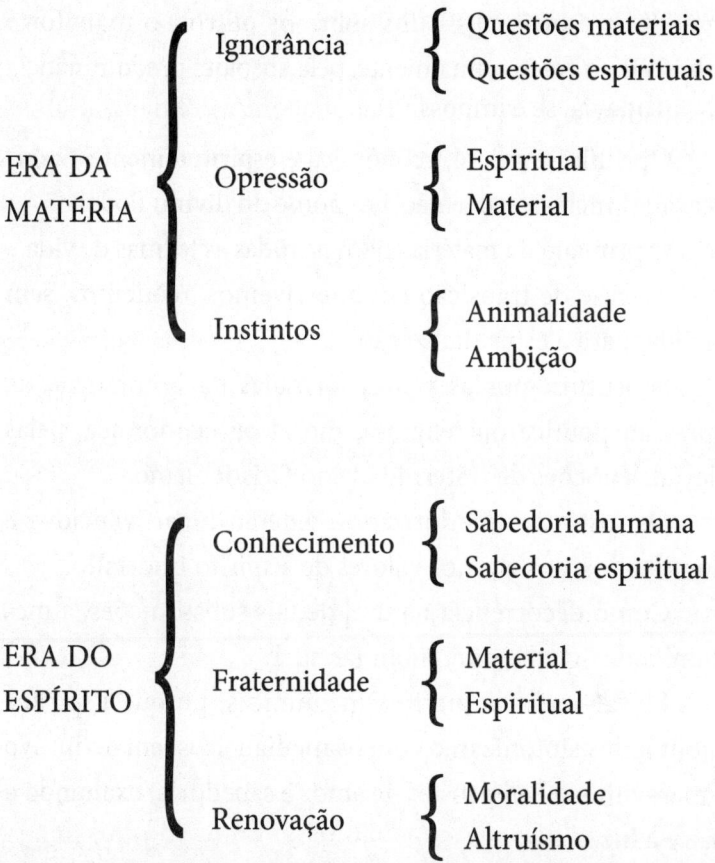

Vamos sair de uma para outra fase da evolução planetária, impondo-se, portanto, a renovação dos sentimentos. Numa figura mais simples: a substituição do que é ruim pelo que é bom, do que é negativo pelo que é positivo, do que degrada pelo que diviniza.

Antigamente, em época mais recuada, homens e grupos se caracterizavam, total e expressamente, pela ignorância de assuntos espirituais e materiais, pela opressão — material e espiritual — uns sobre os outros, o mais forte sobre o mais fraco e, finalmente, pela absoluta predominância dos instintos.

Oprimia-se moral, econômica e espiritualmente. Sacrificava-se, inclusive, o irmão, em nome do divino Poder.

O primado da matéria abrangia todas as formas de vida.

Na fase de transição em que vivemos, tendemos, sem dúvida, para a espiritualização.

Substituiremos as velhas fórmulas da ignorância, da opressão política ou religiosa, moral ou econômica, pelas elevadas noções de fraternidade do Cristianismo.

Os instintos inferiorizados cederão lugar, vencidos e humilhados, aos eternos valores do Espírito imortal!

Como decorrência natural de tais substituições, a mediunidade, igualmente, sublimar-se-á.

Elevar-se-ão as práticas mediúnicas, porque Espíritos sublimados sintonizarão com os medianeiros, em definitivo e maravilhoso Pentecostes de amor e sabedoria, exaltando a paz e a luz.

Quando o conhecimento dos problemas humanos, em seu duplo aspecto — material e espiritual —, tornar-se uma realidade em nosso coração, a fenomenologia mediúnica se enriquecerá de novas e incomparáveis expressões de nobreza.

Quando a fraternidade, que ajuda e socorre, que perdoa e consola, substituir a opressão, que sufoca e constrange, os médiuns serão, na paisagem terrestre, legítimos transformadores de luz espiritual.

O homem será irmão de seu irmão, sua vida será sublime apostolado de ternura e cooperação; e o seu verbo, a mais encantadora e harmoniosa sinfonia.

Quando nos moralizarmos e nos tornarmos realmente altruístas, superando a animalidade primitivista e a ambição desmedida, nos converteremos em pontes luminosas, por meio das quais o Céu se ligará à Terra.

Se desejamos sublimar as nossas faculdades mediúnicas, temos que nos educar, transformando o coração em altar de fraternidade, onde se abriguem todos os necessitados do caminho.

A Era da matéria exige-nos conquistas exteriores, ganhos fáceis, prazeres e futilidades, considerações e honrarias. É o imediatismo, convocando-nos à preguiça e à estagnação, ao abismo e ao sofrimento.

A Era do Espírito pede-nos a conquista de nós mesmos, luta incessante, trabalho e responsabilidades. É o futuro, acenando-nos com as suas mãos de luz para a realização de nossos alevantados destinos.

O médium que, intrinsecamente, vive os fatores negativos da Era da matéria é operário negligente, cuja ferramenta se enferrujará, será destruída pelas traças ou roubada pelos ladrões, consoante a advertência do Evangelho.

Será, apenas, simples produtor de fenômeno.

O médium, entretanto, que vigia a própria vida, disciplina as emoções, cultiva as virtudes cristãs e oferece ao

Senhor, multiplicados, os talentos que por empréstimo lhe foram confiados estará, no silêncio de suas dores e de seus sacrifícios, preparando o seu caminho de elevação para o Céu.

Estará, sem dúvida, exercendo a "mediunidade com Jesus"...

2
Espiritismo e mediunidade

Que devemos buscar na mediunidade?
Como devemos considerar os médiuns?
Que nos podem oferecer o Espiritismo e o mediunismo?

Essas três singelas perguntas constituem o esboço do presente capítulo.

Em que pese o extraordinário progresso do Espiritismo, neste seu primeiro século de existência codificada, qualquer observador notará que os seus variegados ângulos ainda não foram integralmente apreendidos, inclusive por companheiros a ele já filiados.

Muitas criaturas, almas generosas e simples, ainda não sabem o que devem e podem buscar na mediunidade.

Outras, guardam um conceito errôneo e perigoso com relação aos médiuns, situando-os, indevidamente, na posição de santos ou iluminados.

Em resumo, ainda não sabemos, evidentemente, o que o Espiritismo e a prática mediúnica nos podem oferecer.

Há quem deseje, irrefletidamente, buscar nos serviços de intercâmbio entre os dois planos a satisfação de seus interesses imediatistas, relacionados com a vida terrena, como existem os que, endeusando os médiuns, ameaçam-lhes a estabilidade espiritual, com sérios riscos para o homem e para a causa.

O Espiritismo não responde por isso.

Nem os Espíritos superiores.

Nem os Espíritos mais esclarecidos.

Allan Kardec foi, no dizer de Flammarion, "o bom senso encarnado". O Espiritismo, cuja codificação no plano físico coube ao sábio francês, teria de ser, também, a Doutrina do bom senso e da lógica, do equilíbrio e da sensatez.

Ele permanecerá como imponente marco de luz, por muitos séculos, aclarando o entendimento de quantos lhe busquem por manancial de esclarecimento e consolação.

Em vez de cogitar apenas dos problemas materiais, para cuja solução existem, no mundo, numerosas instituições especializadas, cogita o Espiritismo de fixar o roteiro de nosso reajustamento para a vida superior.

Reajustamento assim especificado:

a) Moral,
b) Espiritual,
c) Intelectual.

E, na definição de André Luiz, "revelação divina para renovação fundamental dos homens".

Quem se alista nas fileiras do Espiritismo é compelido, naturalmente, a iniciar o processo de sua própria transformação moral.

Não quer mais ser violento ou grosseiro, maledicente ou ingrato, leviano ou infiel.

Deseja, embora tateante, em vista das solicitações inferiores que decorrem, inevitavelmente, do nosso aprisionamento às formas primitivistas evolucionais, subir, devagarinho, os penosos degraus do aperfeiçoamento espiritual, integrando-se, para isso, no trabalho em favor de si mesmo e dos outros.

O espírita esclarecido considerará o médium como um companheiro comum, portador das mesmas responsabilidades e fraquezas que igualmente nos afligem. Alma humana, falível e pecadora, necessitada de compreensão.

Não o tomará por adivinho, oráculo ou revelador de notícias inadequadas.

Assim sendo, ajudá-lo-á no desempenho dos seus deveres, evitando o elogio que inutiliza as mais belas florações mediúnicas, para estimulá-lo e ampará-lo com a palavra amiga e sincera.

Todo espírita ganharia muito se lesse, meditando, o capítulo "História de um médium", do livro *Novas mensagens*, do Espírito Humberto de Campos.

Como descansariam os médiuns do assédio impiedoso que lhes movem alguns companheiros, deixando-os, assim, livres e desimpedidos para a realização de suas nobres tarefas?

O espiritista sincero irá compreendendo, pouco a pouco, que o Espiritismo e o mediunismo lhe podem oferecer ensejo para o sublime "reencontro com o pensamento puro do Cristo, auxiliando-nos a compreensão para mais amplo discernimento da verdade".

E, mediante essa compreensão, saberá reverenciar "o Espiritismo e a mediunidade como dois altares vivos no templo da fé, por meio dos quais contemplaremos, de mais alto, a esfera das cogitações propriamente terrestres, compreendendo, por fim, que a glória reservada ao espírito humano é sublime e infinita, no reino divino do universo".

Com esta superior noção das finalidades da Doutrina Espírita, não mais se farão ouvir, proferidas por companheiros nossos, as três perguntas com que abrimos o presente capítulo:

Que devemos buscar na mediunidade?

Como devemos considerar os médiuns?

Que nos podem oferecer o Espiritismo e o mediunismo?

3
Problemas mentais

Iniciaremos o presente capítulo, recordando a assertiva do instrutor Albério de que "a mente permanece na base de todos os fenômenos mediúnicos".

Assim sendo, evidencia-se e se avulta, sobremodo, a responsabilidade de todos nós, especialmente dos médiuns, nos labores evolutivos de cada dia.

Estudemos, com simplicidade e clareza, o problema mental.

Assim como a ingestão de certos alimentos ou de bebidas alcoólicas ocasiona, fatalmente, a modificação do nosso hálito, alcançando o olfato das pessoas que próximas estiverem, do mesmo modo os nossos pensamentos criam o fenômeno psíquico do "hálito mental", equivalente à natureza das forças que emitimos ou assimilamos. Teremos, então, um "hálito mental" desagradável e nocivo ou agradável e benéfico.

O hálito bucal será determinado pelo tipo de alimentação ou de bebida que ingerirmos.

O "hálito mental" será, a seu turno, determinado pelo tipo dos nossos pensamentos.

O nosso ambiente psíquico será, assim, inexoravelmente determinado pelas forças mentais que projetamos por meio do pensamento, da palavra, da atitude, do ideal que esposamos.

O ambiente psíquico de uma pessoa, de maus hábitos ou de hábitos salutares, será notado, sentido pelos Espíritos e pelos encarnados, quando dotados de vidência ou forem sensitivos.

Ao nos aproximarmos de pessoa encolerizada, ou que conduza no coração, mesmo em silêncio, aflitivas preocupações, notaremos o seu "hálito mental", do mesmo modo que notaremos o hálito bucal de quem tomou um copo de vinho ou mastigou uma cebola.

*

As ideias são criações do nosso Espírito.

Criações incessantes, ininterruptas, que se projetam no espaço e no tempo, adquirindo forma, movimento, direção e tonalidades equivalentes à natureza, superior ou inferior, das ideias criadas.

Um pensamento, que expresse desejos ou objetivos, veiculado poderosamente por nosso Espírito, poderá até ser fotografado.

Poderá, inclusive, ser visto pelos médiuns videntes ou percebido pelos médiuns sensitivos.

O nosso campo mental é, pois, inteiramente devassável pelos Espíritos e até pelos encarnados.

Considerando, por oportuna, a observação de Paulo de Tarso de que "estamos cercados por uma nuvem de testemunhas", somos compelidos a medir e pensar, na balança consciencial, as sérias responsabilidades que decorrem do conhecimento que já temos de tais verdades. Isso porque tais criações determinarão, inevitavelmente, o tipo e o caráter de nossas companhias espirituais, em virtude das vibrações compensadas.

Uma mente invigilante atrairá entidades infelizes, vampirizadoras, porque certos Espíritos profundamente materializados, arraigados, ainda, às paixões inferiores, nutrem-se, alimentam-se dessas substâncias produzidas pela mente irresponsável ou deseducada.

Ser médium é algo de sublime, determinando tacitamente o imperativo da realização interior, a necessidade de o indivíduo conquistar a si mesmo pela superação das qualidades negativas.

Ser médium é investir-se a criatura de sagrada responsabilidade perante Deus e a própria consciência, uma vez que é ser intérprete do pensamento das esferas espirituais, medianeiro entre o Céu e a Terra.

Convenhamos que será muito difícil aos mensageiros celestes utilizarem-se, de modo permanente, de companheiros encarnados sem a mais leve noção de responsabilidade, negligentes no cumprimento dos deveres morais, impontuais, inteiramente alheios ao imperativo da própria renovação para o bem, ou, ainda, inclinados à exploração inferior.

A este respeito, ouçamos a palavra de Emmanuel: "O perfume conservado no frasco de cristal puro não será o mesmo quando transportado num vaso guarnecido de lodo".

Poderão os bons Espíritos, reconheçamos, comunicar-se algumas vezes.

Poderão transpor barreiras vibratórias e superar obstáculos da mente irresponsável para estender benefícios aos estropiados do caminho.

Poderão, ainda, extrair notas harmoniosas de mal cuidado instrumento, exaltando, assim, o poder e a glória, o amor e a sabedoria do Senhor da Vida.

Todavia, cumpre-nos admitir, dificilmente tomarão eles, os grandes instrutores, por medianeiro definitivo para as grandes realizações do Cristo o médium que vê, apenas, na sua faculdade, espetaculoso meio de produzir fenômenos, sem finalidade educativa para si e para os outros.

A discriminação e importância do problema mental poderão, talvez, ser melhor entendidas mediante o gráfico organizado para o estudo e análise do tema "criações mentais":

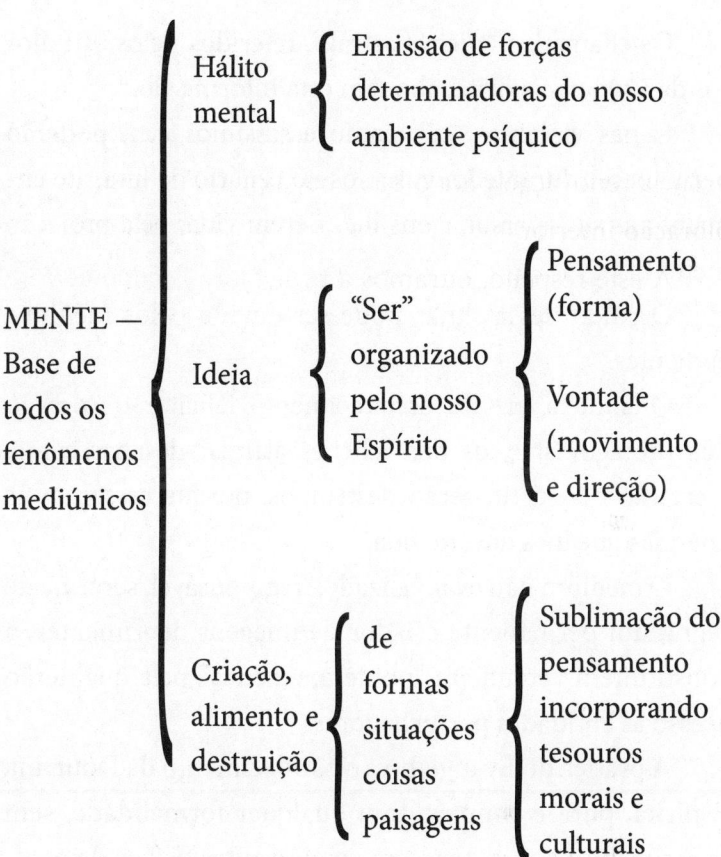

Segundo depreendemos do diagrama acima, adaptado de acordo com os conceitos e esclarecimentos do instrutor Albério, o nosso Espírito tem a propriedade de criar formas, situações, coisas e paisagens, sendo-nos facultado, portanto, influenciar, benéfica ou maleficamente, a nós e aos outros.

Tem o nosso Espírito não apenas a faculdade de realizar tais criações.

Tem-na também para dar-lhes vida ou destruí-las.

Os chamados "clichês astrais", referidos pelos estudiosos da Ciência Espírita, abonam esta informação.

Cenas violentas, tais como assassínios etc., poderão permanecer durante longos anos no cenário da luta, até enquanto as suas personagens lhes derem vida, pela projeção mental.

O ruído dessas lutas pode ser ouvido pelos médiuns audientes.

Quando a luz do esclarecimento felicitar o coração dos protagonistas, os tais "clichês astrais" desaparecerão. Deixarão de existir, serão destruídos, porque cessaram as energias que lhes davam vida.

O médium não evangelizado, irresponsável, será, via de regra, um permanente criador de imagens deprimentes, a constituírem verdadeira "ponte magnética", pela qual terão acesso as entidades perturbadoras.

A prática do Evangelho e o conhecimento da Doutrina Espírita, pura e simples, sem qualquer formalidade, sem exorcismos ou aparatos, sem coadjuvantes físicos de qualquer espécie, serão recursos salutares que, instruindo o médium e estendendo-lhe ao coração as noções de fraternidade, transformar-lhe-ão o ambiente psíquico, assegurando-lhe, em caráter definitivo, uma série de vantagens, tais como:

a) Paz interior,
b) Valiosas amizades espirituais,
c) Defesa contra a incursão de entidades da sombra,

d) Crédito de confiança dos Espíritos superiores,
e) Iluminação própria,
f) Outorga de tarefas de maior valia no serviço do Senhor.

Sim, outorga de novos encargos no campo do mediunismo edificante.

Ouçamos, mais uma vez, o pensamento de Emmanuel: "O sábio não poderá tomar uma criança para confidente, embora a criança, invariavelmente, detenha consigo tesouros de pureza e simplicidade que o sábio desconhece".

Referindo-se, ainda, à necessidade de o médium estudar e devotar-se ao bem, assegura também o respeitável Espírito:

> A ignorância poderá produzir indiscutíveis e belos fenômenos, mas só a noção de responsabilidade, a consagração sistemática ao progresso de todos, a bondade e o conhecimento conseguem materializar na Terra os monumentos definitivos da felicidade humana.

Quando o médium se despoja de tudo quanto representa irresponsabilidade, o seu ambiente psíquico se consolida.

O seu "hálito mental" se exterioriza mediante expressões edificantes e com tonalidades maravilhosas.

E, como, segundo a afirmativa do divino Amigo, "àquele que mais tem, mais lhe será dado", o médium sincero e de boa vontade, mesmo que tenha pouca instrução, conseguirá, sem dúvida, iluminado pela fé e pelo amor, sublimar os pensamentos, enriquecendo a mente de tesouros morais e culturais, convertendo-se, por fim, num medianeiro cristão para o serviço de intercâmbio com o plano superior.

*

Um Espírito inclinado à perversidade ou à turbulência, incorporando-se num médium espiritualizado, não resistirá ao suave, amoroso e fraterno envolvimento fluídico resultante do próprio estado psíquico do medianeiro, circunstância que, aliada à colaboração amiga do dirigente dos trabalhos e ao socorro dos protetores, facilitará a execução das reais finalidades do serviço mediúnico: levar, ao coração endurecido ou sofredor, o orvalho da bondade e da compreensão.

Quem ama irradia forças benéficas e irresistíveis em torno de si, envolvendo, salutarmente, os que dele se acham próximos.

O episódio do lobo de Gúbio, com Francisco de Assis, é expressivo.

Demonstra como a violência e a agressividade se estiolam, inermes, diante do incoercível e ilimitado poder do Amor.

A faculdade de, pelo pensamento, criarmos ideias e de, pela vontade, imprimirmos movimento e direção a tais ideias, abre prodigioso campo de fraternas realizações para a alma humana, encarnada ou desencarnada.

Com o Evangelho no coração e a Doutrina Espírita no entendimento poderemos, sem dúvida, promover o bem-estar, físico e psíquico, de quantos, realmente interessados na própria renovação, se tornarem objeto das nossas criações mentais.

E o que será não menos importante e fundamental: consolidaremos o próprio equilíbrio interior, correspondendo, assim, à confiança daqueles que, na Espiritualidade mais alta, aguardam a migalha da nossa boa vontade.

4
Vibrações compensadas

O capítulo I do livro que estamos estudando possibilitou-nos a organização de três gráficos, dois deles já expostos e analisados, com a possível simplicidade, nos capítulos precedentes.

Apresentamos, pois, o terceiro, mediante o qual tentaremos apreciar o problema da "sintonia", da "ressonância", ou das "vibrações compensadas".

Sintonia significa, em definição mais ampla, entendimento, harmonia, compreensão, ressonância ou equivalência.

Quando dizemos que "Fulano sintoniza com Beltrano", referimo-nos, sem dúvida, ao perfeito entendimento entre ambos existente.

Sintonia é, portanto, um fenômeno de harmonia psíquica, funcionando, naturalmente, à base de vibrações.

Duas pessoas sintonizadas estarão, evidentemente, com as mentes *perfeitamente entrosadas,* havendo, entre elas, uma ponte magnética a vinculá-las, imantando-as profundamente.

Estarão respirando na mesma faixa, intimamente associadas.

Estudemos o assunto à luz do seguinte diagrama:

SINTONIA, RESSONÂNCIA, VIBRAÇÕES COMPENSADAS
- Sábios
  - Ideais superiores
  - Assuntos transcendentes
  → Ciência, Filosofia, Religião, etc.
- Índios
  - Objetivos vulgares
  - Assuntos triviais
  → Caça, pesca, lutas, presentes, etc.
- Árvores
  - Maior vitalidade
  - Melhor produção
  → Permuta dos princípios germinativos, quando colocadas entre companheiras da mesma espécie.

Pelo exame desse gráfico, notaremos que tudo dentro do universo, por conseguinte dentro do nosso orbe, funciona e movimenta-se na base da sintonia, ou seja, da mútua compreensão.

Exemplifiquemos: o sábio, de modo geral, não se detém, indefinidamente, para trocar ideias sobre assuntos transcendentes com o homem rude do campo, nada familiarizado com questões científicas ou artísticas, que demandam longos estudos.

Seria rematada tolice afirmar-se que o astrônomo, o físico, o jurisconsulto, o matemático, o biologista ou o cientista consagrado a problemas atômicos possam encontrar, no índio ou no homem inculto, elemento ideal para as suas tertúlias. Os seus companheiros de palestras serão, sem dúvida, outros sábios.[1]

A seu turno, o silvícola das margens de Kuluene preferirá, sem dúvida, entender-se e confabular com os companheiros de taba que lhe falam da pesca ou da caça, das próximas incursões ao acampamento inimigo ou de espelhos, facões e ornamentos que as expedições civilizadoras possam levar-lhe aos domínios.

O assunto foi aclarado pelo instrutor Albério, no capítulo *Estudando a mediunidade*.

Neste capítulo, procuramos, apenas, torná-lo ainda mais compreensível ao entendimento geral, extraindo, por fim, as conclusões de ordem moral cabíveis, considerando a finalidade sobretudo evangélica do presente trabalho.

Esclarece, o referido instrutor, que as próprias árvores não prescindem do fator sintonia. Serão dotadas de maior vitalidade e produzirão mais se colocadas ao lado de companheiras da mesma espécie. Exemplo: plantando-se laranjas entre abacaxis ou jaboticabas, as laranjeiras produzirão menos do que se a plantação fosse só de sementes de laranja, formando um laranjal.

---

[1] N.E.: O autor reproduz a visão vigente à época em que o texto foi escrito (década de 1950). Longe de soar de forma preconceituosa, as ideias pretendem enfatizar que o processo de comunicação é realizado mais facilmente entre Espíritos afins.

"A permuta dos princípios germinativos" assegura-lhes robustez e verdor, garantindo-lhes, consequentemente, frutificação mais abundante.

Como notamos, o problema da sintonia não está ausente das próprias relações no reino vegetal.

Uma árvore precisa de outra ao lado, da mesma espécie, para que ambas, reciprocamente alimentadas, se cubram de folhas viçosas e flores mais belas e, dentro da função que lhes é própria, embelezem a natureza, enriqueçam e nutram o homem.

Acentuando tal fato, o irmão Albério, prelecionando magistralmente, recorre, com sabedoria, à mecânica celeste, para demonstrar que idênticos princípios magnéticos regem também as relações do mundo cósmico, sem dúvida não apenas na órbita planetária terrestre, mas noutros planos, mais ou menos evolvidos.

Vamos dar a palavra ao esclarecido mentor: "Cada planeta revoluciona na órbita que lhe é assinalada pelas leis do equilíbrio, sem ultrapassar as linhas de gravitação que lhe dizem respeito".

Demonstrado, assim, de forma irretorquível, que em tudo funcionam e operam, invariavelmente, o fator "sintonia" e o elemento "ressonância", recordemos, ainda com o instrutor Albério, o aspecto de maior relevância, consubstanciado na interdependência entre as almas, encarnadas ou desencarnadas, no tocante ao problema evolutivo.

Vibrações compensadas

Há grupos de Espíritos, ou consciências, evoluindo simultaneamente.

Alimentam-se reciprocamente.

Nutrem-se mutuamente.

Fortalecem-se uns aos outros, em verdadeira "compensação vibratória".

Às vezes, tais Espíritos se veem privados da indescritível felicidade de prosseguirem, juntos, a mesma marcha, por desídia de alguns.

É que os preguiçosos vão ficando para trás, à maneira de alunos pouco aplicados, que perdem de vista, por culpa própria, os estudiosos.

Não podem acompanhar aqueles que, em virtude de notas distintas e merecidas, nos exames finais, são naturalmente transferidos para cursos mais adiantados.

Bem sabemos que a Terra é o Grande Educandário. É bem verdade que, quando há muito amor no coração dos que progrediram mais rapidamente, embora recebessem as mesmas aulas e estivessem submetidos à mesma disciplina, o espírito de abnegação e renúncia fá-los retroceder, em tarefas sacrificiais, a fim de estenderem as mãos, plenas de luz, às almas queridas que, invigilantes, se perderam nos escuros labirintos da indolência.

Esperar, todavia, comodamente, tal amparo, ao preço de tremendos sacrifícios dos mensageiros do bem, seria reprovável conduta.

A Doutrina Espírita, exaltando o esforço próprio, dignifica o ser humano. Converte-o num ser responsável e consciente que, esclarecendo-se, deseja e procura movimentar, sob a égide santa e abençoada do Senhor da Vida, as próprias energias, os próprios recursos evolutivos latentes no íntimo de todo ser humano.

Em virtude de impositivos superiores, a que não conseguem fugir, muitos instrutores espirituais se veem compelidos a abandonar, temporariamente ou em definitivo, os seus tutelados, especialmente os que imprimiram à própria vida, nos labores renovadores, o selo da irresponsabilidade e da má vontade, em lastimável desapreço aos talentos que Jesus lhes confiara.

Os médiuns, portanto, que desejam, sinceramente, enriquecer o coração com os tesouros da fé, a fim de ampliarem os recursos de servir ao Mestre na Seara do bem, não podem nem devem perder de vista o fator "autoaperfeiçoamento".

Não devem perder de vista os estudos doutrinários, base do seu esclarecimento.

Não podem, de forma alguma, deixar de nutrir-se com o alimento evangélico, tornando-se humildes e bons, devotados e convictos, a fim de que os modestos encargos mediúnicos de hoje sejam, amanhã, transformados em sublimes e redentoras tarefas, sob o augusto patrocínio do divino Mestre, que nos afirmou ser "o pão da vida" e a "luz do mundo".

Abnegação e perseverança, no trabalho mediúnico, mantêm o servidor em condições de sintonizar, de modo permanente, com os Espíritos superiores, permutando, assim, com as forças do bem, as divinas vibrações do amor e da sabedoria.

Estabelecida, pois, esta comunhão do medianeiro com os prepostos do Senhor, a prática mediúnica se constituirá, com reais benefícios para o médium e o agrupamento onde serve, legítima sementeira de fraternidade e socorro.

5
O PSICOSCÓPIO

A partir do presente capítulo, e após o notável estudo do instrutor Albério, assumirá o assistente Áulus o comando dos nossos comentários sobre a mediunidade.

Mediante o verbo bondoso e sábio desse Espírito, perlustraremos os maravilhosos e complexos caminhos do mediunismo, aprendendo com ele muita coisa que os clássicos não podiam mencionar no século XIX, tendo em vista a imaturidade do espírito humano para tais problemas.

Aliás, o que dá sentido de eternidade à Doutrina Espírita é, exatamente, esse caráter progressivo, assegurando a continuidade das notícias do Espaço, dando expansibilidade à Codificação, desdobrando-a em nuanças cada vez mais belas e empolgantes e, para júbilo de todos nós, enriquecendo-a com novos e magníficos conhecimentos da vida no Além-túmulo.

Tivesse a Doutrina parado com os livros básicos, sem esta complementação magnificente, o seu destino seria, inevitavelmente, o destino de tantas doutrinas que floresceram, tiveram o seu período áureo, mas que, por se cristalizarem, ficaram sepultadas no sarcófago do esquecimento.

O Espiritismo, pelo seu conteúdo evolutivo e universal, é um movimento em marcha, para a frente e para o alto.

É um sol que busca o zênite de seus gloriosos objetivos de Consolador anunciado e prometido pelo divino Amigo.

Dele, foi dita a primeira palavra e jamais se dirá a última, afirmou, incisivamente, Allan Kardec.

Abençoado seja, nas resplandecentes esferas, o valoroso missionário que estruturou o Espiritismo, deu-lhe bases inamovíveis, deixando-lhe, todavia, as mais positivas, ricas e sublimes perspectivas de engrandecimento, de desenvolvimento e de expansibilidade ilimitada, no tempo e no espaço.

*

Definindo o psicoscópio, o assistente Áulus informa que:

> É um aparelho a que intuitivamente se referiu ilustre estudioso da fenomenologia espírita, em fins do século passado. Destina-se à auscultação da alma, com o poder de definir-lhe as vibrações e com capacidade para efetuar diversas observações da matéria.

O cientista a que Áulus se refere foi Alfred Erny, na sua obra *O psiquismo experimental*.

Segundo verificamos, tem o psicoscópio a propriedade de definir as vibrações de encarnados e desencarnados, cumprindo-nos, atentos aos objetivos deste livro, ressaltar a faculdade de esse aparelho espiritual, devidamente armado num grupo mediúnico, caracterizar os mais íntimos sentimentos dos presentes, tais como:

a) Moralidade
b) Bondade
c) Perversidade
d) Falta de confiança
e) Curiosidade
f) Irresponsabilidade
g) Interesses inferiorizados

O psicoscópio tem, no plano espiritual, por analogia, a mesma função que têm, na Terra, o magnetômetro, aparelho inventado pelo abade Fortin para medir a intensidade do fluido magnético, o estetoscópio, os raios X, o eletrocardiógrafo, o eletroencefalógrafo, etc., na medicina terrestre.

O estado orgânico do enfermo é perscrutado pelo clínico ou pelo radiologista, mediante a aplicação do instrumento apropriado.

Utilizando os aparelhos acima, conhecerá o médico a "intimidade física do cliente".

Saberá se o coração vai normal, se os pulmões passam bem, se o aparelho cerebral vai sem alterações.

Tais aparelhos, indiscretos, são, em síntese, os desvendadores dos segredos internos do corpo humano.

Muita vez, aquilo que o doente não desejava saber, por medo da verdade, ou preferiria que os demais ignorassem, é revelado por esses e outros aparelhos.

O psicoscópio desempenha, sob o ponto de vista espiritual, esta mesma função; descobre e revela, aos benfeitores espirituais, o que os médiuns ocultam ao dirigente dos trabalhos e o que o dirigente oculta aos médiuns.

Sem dúvida, este fato sublima o serviço mediúnico, acentuando o senso de responsabilidade que deve orientar esse abençoado campo de atividade.

Cumpre-nos, entretanto, frisar que tal providência, analisadora dos sentimentos individuais, não se efetiva, pelos amigos espirituais, à guisa de simples curiosidade ou diletantismo. Longe disto. O mais fervoroso sentimento de compreensão e bondade preside a tais verificações, cuja utilidade apreciaremos nas linhas seguintes.

Os instrutores operam com absoluta ausência de qualquer pensamento descaridoso ou humilhante, não só com relação aos encarnados, como para com os desencarnados.

Ouçamos, a este respeito, a palavra do assistente Áulus:

> Em nosso esforço de supervisão, podemos classificar sem dificuldade (*com o psicoscópio*) as perspectivas desse ou daquele agrupamento de serviços psíquicos que aparecem no mundo. Analisando a psicoscopia de uma personalidade ou de uma equipe de trabalhadores é possível anotar-lhes as possibilidades e categorizar-lhes a situação. Segundo as radiações que projetam, planejamos a obra que podem realizar no tempo.

Esta declaração do mentor espiritual é de suma importância para os agrupamentos mediúnicos que desejam, efetivamente, trabalhar "sob planejamento do Alto", assistidos e orientados por instrutores que, *anotando-lhes as possibilidades*, programarão tarefas a serem executadas junto aos necessitados, "vivos" ou "mortos".

Um grupo mediúnico que funciona na base da irresponsabilidade e da desconfiança, da negligência ou da má vontade, sem que os seus componentes estejam efetivamente entrelaçados pela mais santa fraternidade e pelos mais elevados propósitos, um grupo desse tipo, analisado "psicoscopicamente" pelos mentores, ficará, sem dúvida, à mercê dos interesses que norteiam a sua existência e o seu funcionamento, possivelmente dirigidos por infelizes entidades.

Entre companheiros invigilantes e entidades menos esclarecidas se estabelecerá, inevitavelmente, a sintonização vibratória de que foram objeto as páginas precedentes.

Os instrutores espirituais compreenderão, compadecidos, que naquele agrupamento não adiantará o concurso elevado, porque se acham ausentes os requisitos fundamentais que justificam a colaboração do Mais Alto: boa vontade, confiança e sinceridade de propósitos!

Que poderão os benfeitores espirituais "planejar" para semelhante núcleo, se os interesses menos dignos predominam, com absoluto descaso pelo bem do próximo, embora, via de regra, a palavra "caridade" seja pronunciada, pomposamente, à maneira do sino que tine?...

O oposto sucede quando, pondo o psicoscópio a funcionar num grupo humilde e sincero, as radiações dos seus integrantes falam, por meio da inconfundível linguagem dos sentimentos, expressos em forma de vibrações, de operosidade e devotamento, de confiança e união espiritual.

Neste caso — afirmemos alto e bom som — os instrutores espirituais organizarão a ficha psicoscópica do grupo, a fim de que um programa de santificantes realizações lhe seja cometido.

Qualquer um de nós, militantes espíritas, terá observado, aqui ou alhures, que certos grupos mediúnicos não progridem. Por que será?

Não se encontrará, porventura, nas considerações em torno do psicoscópio, a resposta, lógica e racional, para tal indagação?

O bom senso nos diz que muitos grupos funcionam sem programa edificante.

Fazem-se sessões, simplesmente por fazer.

Grupo mediúnico que funciona sem orientação cristã, evangélica, sem cogitar do fundamental problema da elevação moral de todos, melhor seria que cerrasse as suas portas, porque, assim fazendo, cerrá-las-ia, também, às forças da sombra.

Mediunismo é, sem dúvida, atividade sagrada.

Por ele é que vem a Revelação, que é a palavra de Deus para os homens.

Pelos condutos mediúnicos, por meio da inspiração ou da escrita, é que o Céu tem enviado à Terra, em todos os tempos e lugares, abundantes jorros de luz e consolação.

Os centros espíritas bem-orientados não devem ensarilhar armas no esforço de recomendar sessões reservadas, de amparo aos sofredores, a fim de que as tarefas mediúnicas cumpram sua legítima finalidade.

Parece que as recomendações do Codificador, neste sentido, foram esquecidas.

As advertências de Léon Denis permanecem, também, lastimavelmente olvidadas.

Acreditamos que o livro *Nos domínios da mediunidade* tenha sido compreendido e que, em resultado de sua leitura e análise, possam as agremiações espíritas traçar elevadas diretrizes para os seus misteres mediúnicos, congregando senhoras e senhores de boa vontade, sinceros e estudiosos, para comporem seus núcleos de amparo aos sofredores.

Não é demasiado tarde para darmos e fazermos o melhor em nossas atividades no setor mediúnico.

Será este o meio de a Espiritualidade, examinando os sentimentos e as intenções dos trabalhadores desse campo, dispensar-lhes amparo e orientação, traçando-lhes programas que atendam, sobretudo, ao elevado espírito de fraternidade que presidiu a todos os atos e palavras, pensamentos e atitudes de nosso Senhor Jesus Cristo — o médium de Deus.

6
Irmão Raul Silva

Jesus lhe disse: Apascenta as minhas ovelhas.
(João, 21:16 e 17.)

Os estudos de André Luiz e do seu companheiro Hilário, antigos médicos na Terra, na última encarnação, sob a supervisão do assistente Áulus, verificam-se em vários grupos de atividade mediúnica, efetivando-se as instrutivas e fundamentais observações, de início, num grupo que denominaremos, neste livro, de "grupo-básico".

Os elementos que lhe compõem a "equipagem mediúnica", em número de dez — quatro irmãs e seis irmãos —, realizam aquilo que poderemos classificar de "mediunismo cristão", guardando, todos eles, no íntimo, elevada noção de responsabilidade quanto à nobreza da tarefa que, em conjunto, levam a efeito.

Reproduzamos, aqui, os informes que, à guisa de apresentação, o assistente Áulus forneceu a André Luiz e Hilário, em torno da personalidade do diretor, encarnado, dos trabalhos.

Detendo-se junto ao irmão Raul Silva: "que dirige o núcleo com sincera devoção à fraternidade", apresentou:

> Correto no desempenho dos seus deveres e ardoroso na fé, consegue equilibrar o grupo na onda de compreensão e boa vontade, que lhe é característica. Pelo amor com que se desincumbe da tarefa, é instrumento fiel dos benfeitores desencarnados, que lhe identificam na mente um espelho cristalino retratando-lhes as instruções.

As palavras de apresentação do companheiro Raul, dirigente do grupo visitado, ensejam significativas apreciações no tocante a determinados requisitos que não podem estar ausentes daqueles que se dispõem a presidir trabalhos mediúnicos.

Afirma-se, de modo geral, que Espíritos menos esclarecidos costumam acabar com centros espíritas ou agrupamentos mediúnicos, provocando confusões, desanimando uns ou espalhando a cizânia entre outros.

Ninguém, em sã consciência, negará a evidência desse assédio.

Efetivamente, os Espíritos têm desmanchado muitos centros e continuarão sem dúvida, por muito tempo ainda, obtendo êxito em sua obra desagregadora, até que se dê a tais atividades, em toda a sua plenitude, o sentido e a feição superiores por que se bate o Espiritismo cristão, por meio das bem-orientadas instituições.

Enquanto a boa vontade e a correção, o estudo e o amor não forem, primacialmente, a mola real de todos os grupos mediúnicos, os Espíritos menos esclarecidos encontrarão sempre fácil acesso, eis que a prática mediúnica, sem Evangelho sentido e vivido, e sem Doutrina estudada e compreendida, constitui porta aberta à infiltração dos desencarnados ainda não felicitados pela luz do esclarecimento.

Todavia, uma outra verdade se patenteia. E essa verdade precisa ser focalizada, como advertência fraterna e em nome do imenso amor que consagramos à Doutrina Espírita.

Há, também, os "desmanchadores", encarnados, de centros e de grupos espíritas!

São os dirigentes intratáveis e grosseiros, destituídos, completamente, daquele senso psicológico indispensável a quem dirige e, acima de tudo, sem possuir aquela abnegação pelo trabalho e aquela bondade sincera para com os companheiros que, na posição de médiuns, lhes compartilham as tarefas.

Há muitos dirigentes de centros, ou mesmo simples cooperadores, que ajudam os Espíritos inferiores a encerrar-lhes as atividades, ou, então, a estacionarem pelo tempo afora, numa improdutividade que faz dó.

São aqueles que nunca têm uma palavra amiga de reconforto e estímulo para os médiuns.

São aqueles que não possuem elementares recursos de paciência para com os sofredores ou endurecidos, trazidos, pelo devotamento dos guias, ao serviço de consolação ou esclarecimento, segundo o caso.

São aqueles que, hiperbólicos e insofreáveis no seu entusiasmo, não sabem dosar a palavra incentivadora ao medianeiro iniciante, estiolando, pelo elogio indiscriminado e inconsequente, preciosas faculdades medianímicas.

São aqueles que mais se parecem com "funcionários de cadastro" das organizações do mundo. Indagam, a todo o custo e sem qualquer objetivo edificante, o nome do comunicante, onde nasceu e em qual cartório será encontrado o seu registro de nascimento; em qual igreja poderá ser examinado o batistério, quanto ganhava no último emprego que ocupou na Terra e qual o número da carteira profissional; o nome da esposa do chefe da seção, qual a penúltima cidade onde viveu, nome da rua e a respectiva numeração, quem era o vizinho da direita e se o filho mais velho do vizinho da esquerda era aplicado nos estudos e se tinha boa caligrafia...

São esses os "desmanchadores", encarnados, que colaboram, por falta de compreensão dos deveres de fraternidade, preceituados no Evangelho, com os desencarnados que, poderosamente organizados no Espaço, assediam os núcleos espíritas de esclarecimento.

Meditemos, todos, na admirável apresentação do dirigente Raul Silva.

Analisemos, uma a uma, as referências em torno da sua pessoa.

Devoção à fraternidade, correção no cumprimento dos deveres, pontualidade, fé ardorosa, compreensão, boa vontade, equilíbrio, prudência e muito amor no coração — eis as apreciáveis qualidades que exornam a sua personalidade.

Simboliza, ele, o trabalhador sincero e bem-intencionado.

Representa, ele, o tipo ideal do dirigente de reuniões mediúnicas ou do presidente de instituições espíritas.

Tomemo-lo, pois, por modelo, afeiçoando, paulatinamente, a nossa à sua conduta evangélica, e veremos, então, fora de qualquer dúvida, o progresso cada vez maior dos núcleos que o Senhor Jesus nos confiou ao coração necessitado de luz e ascensão.

Raul Silva é, como acentua o assistente Áulus, pessoa comum.

Não é um santo, nem um herói extraordinário, transitando, singularmente, pelo mundo.

Come, bebe e veste-se normalmente. Na Terra, nos labores de cada dia, nenhuma diferenciação apresenta das demais criaturas.

Esforça-se, contudo, para melhorar-se, a fim de "retratar", dos benfeitores espirituais, as instruções necessárias ao serviço de amparo aos companheiros desencarnados trazidos à incorporação.

É sincero e ama o seu trabalho.

Cultiva a bondade com todos, não se enerva e nem se impacienta com aqueles que ainda não podem compreender os alevantados objetivos do Espiritismo cristão.

Procura amar a todos, pequenos e grandes, pobres e ricos, pretos e brancos, pela convicção de que não poderá dirigir ou orientar quaisquer agrupamentos quem não tiver muito amor para ofertar, desinteressadamente, inclusive com o sacrifício próprio, conforme depreendemos das três famosas perguntas de Jesus ao velho apóstolo galileu: "Pedro, tu me amas?".

E, ante a resposta afirmativa do venerando pescador, recomenda-lhe, jubiloso, com a alma inundada de esperança:

"Se me amas, Pedro, apascenta as minhas ovelhas".

Um grupo mediúnico é, em miniatura, um rebanho de ovelhas. Se o dirigente não amar bastante, a fim de "equilibrar o grupo na onda de compreensão e boa vontade", nunca poderá apascentá-las, nem conduzi-las ao aprisco da paz e do trabalho.

Deixá-las-á desamparadas, à mercê dos temporais e das surpresas do mundo das sombras.

7
Médiuns

Focalizando a pessoa de Raul Silva, tecemos considerações de ordem moral, relativamente às qualidades que reputamos indispensáveis ao dirigente de sessões mediúnicas que deseja tornar-se, de fato, eficiente, compreendendo-se, naturalmente, que o vocábulo "eficiente" terá em nossos estudos significado diverso do habitualmente conhecido.

Eficiente, sob o ponto de vista espiritual, será aquele trabalhador que melhor se harmonizar com a vontade do Pai celestial.

Será aquele que se destacar pelo cultivo sincero da humildade e da fé, do devotamento e da confiança, da boa vontade e da compreensão.

Raul Silva é o modelo do eficiente condutor, encarnado, de tarefas mediúnicas.

A fim de que os estudos se processem numa sequência que facilite a consecução de nossos objetivos, qual seja o de elucidar, em linguagem simplíssima, os pormenores do livro *Nos domínios da mediunidade*, extraindo de tais pormenores conclusões que favoreçam a melhor compreensão do elevado sentido do mediunismo, é justo e oportuno recordemos a apresentação feita pelo assistente Áulus dos companheiros que, com Raul Silva, integram o núcleo de serviços cristãos.

Eugênia: "médium de grande docilidade, que promete brilhante futuro na expansão do bem", tem a vantagem de conservar-se consciente enquanto empresta a organização mediúnica aos Espíritos.

Anélio: "vem conquistando gradativo progresso na clarividência, na clariaudiência e na psicografia".

Antônio Castro: é médium sonâmbulo.

Celina: é clarividente e audiente, além de ser médium de incorporação e de desdobramento.

Pelas observações do assistente Áulus, e pelo que apreciaremos nos capítulos subsequentes, perceber-se-á que Celina é uma colaboradora devotadíssima, conduzindo valiosos títulos de benemerência espiritual.

Diante de companheiros tão respeitáveis, pela abnegação e pelo espírito de sacrifício, Hilário não resistiu ao desejo de indagar se seria lícito aceitar a possibilidade de ser o campo mental de tais servidores, especialmente da irmã Celina, invadido por Espíritos menos esclarecidos, respondendo Áulus que sim, uma vez que a referida médium está "numa prova de longo curso e que, nos encargos de aprendiz, ainda se encontra muito longe de terminar a lição".

E depois de meditar um instante, conclui: "Numa viagem de cem léguas podem ocorrer muitas surpresas no derradeiro quilômetro do caminho".

Esta observação é oportuna e constitui valiosa advertência aos obreiros da Seara cristã, especialmente àqueles que foram convocados ao trabalho no setor da mediunidade.

Assim como há companheiros que se julgam intangíveis ou invulneráveis, também há médiuns que se julgam isentos de qualquer influenciação menos elevada.

Fazer-lhes sentir que tais influenciações são ocorrência natural e corriqueira na vida de todos nós, almas necessitadas e ainda empenhadas em dolorosos resgates, significa, quase sempre, ferir suscetibilidades e, às vezes, contrair antipatias.

Guardemos, porém, para uso próprio, a filosófica tirada do benevolente instrutor: "Numa viagem de cem léguas podem ocorrer muitas surpresas no derradeiro quilômetro do caminho".

O médium, por excelente que seja a sua assistência espiritual, não deve descurar-se da própria vigilância, lembrando sempre que é uma criatura humana, sujeita, por isso, a oscilações vibratórias, a pensamentos e desejos inadequados.

Devemos ter sempre na lembrança a palavra de Emmanuel:

> Os médiuns, em sua generalidade, não são missionários na acepção comum do termo; são almas que fracassaram *desastradamente*, que contrariaram, sobremaneira, o curso das Leis divinas e que resgatam, sob o peso de severos compromissos e ilimitadas responsabilidades, o passado *obscuro* e *delituoso*. O seu pretérito, muitas vezes, se encontra enodoado de *graves deslizes e erros clamorosos*.

Quando o médium guarda a noção de fragilidade e pequenez, pela convicção de que é uma alma em processo de redenção e aperfeiçoamento, pelo trabalho e pelo estudo, está se preparando, com segurança, para o triunfo nas lides do Espírito eterno.

Entretanto, quando começa a pensar que é um missionário, um privilegiado dos Céus e que os próprios Espíritos superiores se sentem honrados e distinguidos por assisti-lo, é, sem dúvida, um companheiro em perigo.

É um forte candidato à obsessão e ao fracasso.

A vaidade é o primeiro passo que o médium dá no caminho da desventura.

A senda do desequilíbrio se abre, larga e sedutoramente, ao medianeiro encarnado que entroniza, no altar do coração invigilante, a imponente figura de sua majestade — *o egoísmo*.

Esforcemo-nos, portanto, no sentido de realizar a humildade e o espírito de serviço em benefício da nossa paz, porque, em verdade, nenhum de nós venceu, ainda, a si mesmo.

8
TOMADAS MENTAIS

O capítulo IV do livro ora em estudo apresenta problemas de suma importância para todos os que nos achamos empenhados no esforço de autorrenovação com o Mestre.

Analisando aquele magistral capítulo, melhor se consolidou velha impressão de que, em vários casos, nem sempre o obsessor é o desencarnado, mas sim o encarnado.

Existem inúmeros casos em que o Espírito luta, titanicamente, para desvencilhar-se da prisão mental que o encarnado estabelece em torno dele, conservando-o cativo e subjugado a pensamentos dolorosos e enfermiços.

Para maior facilidade, estudemos o assunto à luz do diagrama seguinte:

PRISÕES MENTAIS { Pessoas / Situações / Coisas

FRUTOS DA DOUTRINAÇÃO	Desligamento de "tomadas mentais", por meio dos princípios libertadores que doutrinadores distribuem na esfera do pensamento.
CONSOLIDAÇÃO DO EQUILÍBRIO	Estudo + meditação = Renovação Renovação + trabalho = Libertação
DESPEJO	Ausência de afinidade, em virtude de o encarnado modificar os centros mentais.

Como sabemos, a influenciação dos Espíritos sobre os encarnados se exerce pela sintonia.

Pessoa cujos pensamentos, palavras e ações determinam um padrão vibratório inferiorizado, estará, a qualquer tempo, à mercê das entidades perturbadas e perturbadoras.

Em síntese: o efeito das obsessões se faz sentir invariavelmente, mediante um traço de união entre nós e os Espíritos. Entre a mente encarnada e a desencarnada.

Vinculamo-nos aos Espíritos pela fusão magnética, o que implica em reconhecermos o acentuado coeficiente de responsabilidade que nos cabe, por permitirmos que a nossa "casa mental" seja ocupada por "hóspedes" menos esclarecidos.

Existindo afinidade, haverá, logicamente fusão magnética.

A reciprocidade vibratória ergue uma ponte entre a nossa e a mente dos desencarnados.

Quando deixar de existir esta "compensação vibratória", em virtude do esclarecimento nosso ou do desencarnado, a quem muitas vezes impropriamente denominamos de "perseguidor", haverá, então, o "despejo do hóspede" inoportuno, à maneira do senhorio que manda embora o inquilino que não lhe pagou os aluguéis combinados.

Despejado, o Espírito irá em busca de outra "casa mental", se as bênçãos do esclarecimento não repercutirem no seu mundo interior.

Figuremos um ferro elétrico de passar roupa.

Quando desejamos que o ferro se aqueça, que a temperatura se eleve, ligamos o fio condutor de eletricidade à respectiva tomada; concluída a tarefa desligamos o fio e o ferro vai perdendo o calor e volta à temperatura normal.

O ferro de engomar, somos nós.

A eletricidade é a projeção mental do desencarnado. O fio condutor são as duas mentes irmanadas, vinculadas, justapostas.

Raciocinando desta forma, somos compelidos a crer que o estudo e a meditação serão forças valiosas no processo de nossa renovação espiritual.

Modificado o centro mental, nossa alma pode agir com mais desenvoltura.

Substituídos os pensamentos enfermiços ou malévolos por ideais enobrecedores, o encetamento de atividades edificantes ser-nos-á penhor de integral e definitiva libertação do incômodo jugo das entidades menos esclarecidas.

O estudo, a meditação e o trabalho no bem serão, assim, os nobres instrumentos com que desligaremos as "tomadas mentais", efetuando, por conseguinte, o "despejo" dos desencarnados.

Para isso, poderá exercer decisiva e salutar influência a palavra esclarecida dos doutrinadores encarnados, que projetará para as nossas mentes necessitadas os princípios libertadores a que alude o assistente Áulus.

Inúmeras curas de obsessões têm-se verificado com o simples comparecimento dos interessados a reuniões de estudo.

Em tais reuniões não somente se beneficiam os encarnados; os seus acompanhantes compartilham, também, do abençoado ensejo de reeducação.

Naturalmente que há obsessões cujas raízes se aprofundam na noite escura e tormentosa dos séculos e milênios, que pedem assistência direta e específica. Ninguém contestará esta verdade, acreditamos.

As obsessões podem cessar, entre outros, por um dos seguintes motivos:

a) Pelo esclarecimento do encarnado, que despejará de sua "casa mental" o hóspede invisível.
b) Pelo esclarecimento do desencarnado, que se libertará da prisão mental que o encarnado lhe vinha impondo.
c) Pela melhoria de ambos.

Catalogamos, apenas, os motivos que apresentam conexão com as considerações ora formuladas.

No atual estágio evolutivo do homem, em que o comando da nossa própria mente ainda é problema dos mais árduos e difíceis, costumamos, pela invigilância, construir, para nós mesmos, perigosos cárceres mentais, representados por pessoas que prezamos, situações que nos agradam e coisas que nos deliciam os sentidos.

Há, por exemplo, os que se apegam de tal maneira a situações transitórias, em nome de um amor falsamente concebido, que sobrevindo inevitavelmente a desencarnação, para um ou para ambos, a prisão mental se prolongará por muito tempo.

Conhecemos o caso de uma senhora que permaneceu em sua residência durante mais de um ano após a desencarnação.

Observada por um médium vidente que transitava diariamente pela porta de sua antiga residência, afirmou estar absolutamente certa de que tinha morrido, acrescentando, então: "Oh! meu amigo, como está sendo difícil deixar a casinha, esta varanda tão gostosa, os familiares, os objetos!"

E por muito tempo ainda, o nosso companheiro a viu na varanda, calmamente sentada numa cadeira de balanço.

Tal vida, tal morte — diziam os antigos.

E nós repetimos, com os instrutores espirituais, que diariamente desencarnam milhares de pessoas, porém só algumas se libertam...

O Espiritismo cristão oferece-nos, exuberantemente, os meios de destruirmos esses grilhões.

Será pelo estudo doutrinário e pelo trabalho evangélico que superaremos esse e outros obstáculos.

Será pelo cultivo da fraternidade e dos sentimentos superiores que marcharemos, com segurança, para o Tabor de nossa redenção, onde o Senhor da Galileia nos aguarda.

Sem a renovação moral e espiritual, o problema da nossa libertação será muito difícil.

Sem que o verbo dos instrutores espirituais e a palavra dos pregadores e doutrinadores esclarecidos encontrem ressonância em nosso mundo íntimo, muito reduzidas ficarão as probabilidades dos grupos mediúnicos, mesmo os bem-orientados, que trabalharem a nosso favor, isto porque muito dependerá do nosso coração e da nossa boa vontade afeiçoar-nos ou não aos princípios libertadores da Boa-Nova, trazida ao mundo pelo divino Amigo, e pelo Espiritismo restaurada na plenitude de sua pureza e sublimidade.

O assistente Áulus, respondendo a uma indagação de Hilário, o simpático companheiro de André Luiz, explica que "os encarnados que não prestam atenção aos ensinamentos ouvidos", nos variados setores da fé, nos círculos espíritas, católicos ou protestantes, "passam pelos santuários da fé na condição de urnas cerradas. Impermeáveis ao bom aviso, continuam inacessíveis à mudança necessária".

"A palavra desempenha significativo papel nas construções do Espírito."

Um pormenor que não pode deixar de ser referido neste livro é o que se reporta à ação das entidades interessadas em que os encarnados não ouçam os ensinamentos veiculados pelos doutrinadores, nas reuniões.

Envolvem os ouvintes em fluidos entorpecedores, conduzindo-os ao sono provocado "para que se lhes adie a renovação".

Esta notícia explica o motivo por que muita gente dorme, pesadamente, nas sessões espíritas.

Temos ouvido, frequentes vezes, exclamações semelhantes a esta: "Não sei o que tinha hoje! Os olhos estavam pesados e as pálpebras pareciam de chumbo".

Excetuando-se os poucos casos de esgotamento físico, em virtude de noites perdidas ou de excesso de trabalho, podemos guardar a certeza de que os acompanhantes desencarnados estão operando, magneticamente, no sentido de que tais pessoas, adormecendo, nada vejam nem ouçam.

E nada ouvindo nem vendo, ficarão, longo tempo, à mercê de sua incômoda e vampirizante influenciação...

9
Incorporação

Com o sugestivo nome de psicofonia, a mediunidade de *incorporação* foi magnificamente estudada em *Nos domínios da mediunidade*.

Que é a incorporação ou psicofonia?

É a faculdade que permite aos Espíritos, utilizando os órgãos vocais do encarnado, transmitirem a palavra audível a todos que presentes se encontrem.

É a faculdade mais frequente em nosso movimento de intercâmbio com o mundo extracorpóreo.

É por meio dela que os desencarnados narram, quando desejam, os seus aflitivos problemas, recebendo dos doutrinadores, em nome da fraternidade cristã, a palavra do esclarecimento e da consolação.

Se não houvesse essas reuniões, que possibilitam a incorporação ou comunicação psicofônica, os obreiros da Espiritualidade teriam as suas tarefas aumentadas com o serviço de socorro às entidades que, nas regiões de sofrimento, carpem as aflições do remorso e do rancor.

Entidades superiores teriam que reduzir as próprias vibrações, a fim de se tornarem visíveis ou de se fazerem ouvidas aos irmãos infortunados, e transmitir-lhes o verbo do reconforto, como, certamente, ocorria antes do advento do Espiritismo, que trouxe aos homens de boa vontade, mediante a oportunidade do serviço mediúnico, sublime campo para a exercitação do amor.

Os grupos mediúnicos têm, assim, valioso ensejo de colaboração na obra de esclarecimento dos Espíritos endurecidos, tornando-se legatários da majestosa tarefa que, antes, pertencia exclusivamente aos obreiros desencarnados.

Referindo-se aos benefícios recebidos pelos Espíritos nas sessões mediúnicas, é oportuno lembrarmos o que afirmam mentores abalizados.

Léon Denis, por exemplo, acentua que, no Espaço, sem a bênção da incorporação, os seus fluidos, ainda grosseiros, "não lhes permitem entrar em relação com Espíritos mais adiantados".

O assistente Áulus, focalizando o assunto, esclarece que eles "trazem ainda a mente em teor vibratório idêntico ao da existência na carne, respirando na mesma faixa de impressões".

Emmanuel, com a sua palavra sempre acatada, salienta a necessidade do serviço de esclarecimento aos desencarnados, uma vez que se conservam, "por algum tempo, incapazes de apreender as vibrações do plano espiritual superior".

Evidentemente, embora vazadas em termos diferentes, há perfeita concordância nas três opiniões, o que vem confirmar o que para nós não constitui nenhuma novidade: a universalidade do ensino dos Espíritos superiores.

No gráfico que ilustra o presente capítulo, tomamos por base uma comunicação grosseira, isto é, de entidade não esclarecida que, incapaz de perceber vibrações mais sutis, necessita da incorporação a fim de ver pelos olhos do médium, ouvir pelos ouvidos do médium, falar pela boca do médium...

Se os postulados da Doutrina nos ensinam semelhante verdade, os novos conhecimentos trazidos por André Luiz, inclusive em *Nos domínios da mediunidade*, levam-nos a aceitá-la pacificamente.

Vejamos como esse amigo espiritual descreve a incorporação de entidade de baixo padrão vibratório:

> Notamos que Eugênia, alma, afastou-se do corpo, mantendo-se junto dele, à distância de alguns centímetros, enquanto, amparado pelos amigos que o assistiam, o visitante sentava-se rente, inclinando-se sobre o equipamento mediúnico ao qual se justapunha, à maneira de alguém a *debruçar-se numa janela*.

A verdade doutrinária não se altera, pois inamovíveis são os fundamentos do Espiritismo: quanto *mais* materialidade, *menos* distância; quanto *mais* espiritualidade, *mais* distância.

A circunstância de verificar-se tão acentuada imantação entre Espírito e médium, nas comunicações dessa natureza, aliada ao fato de o medianeiro refletir, em virtude da íntima e profunda associação *das duas mentes*, os pesares, rancores, aflições, ódios e demais sentimentos do comunicante, com dolorosa repercussão no organismo físico, induz-nos a opinar pelas seguintes abstenções de senhoras-médiuns nas tarefas de desobsessão:

a) A partir do 3º mês de gestação.
b) Pelo menos *uma vez* ao mês, em dia por ela julgado inoportuno à realização de serviços mediúnicos mais pesados.

A abstenção referida na alínea "a" objetiva, inclusive, preservar o reencarnante das vibrações pesadas do comunicante, atendendo a que, estando a mente do filhinho intimamente associada à da futura mãe, naturalmente se associará, também, à do Espírito, já ligada à do médium consoante demonstração gráfica.

Se o médium tivesse sempre a certeza de que a sua faculdade seria utilizada, exclusivamente, por Espíritos superiores, teríamos, evidentemente, suprimido a abstenção da alínea "a".

Na incorporação o médium cede o corpo ao comunicante, mas, de acordo com os seus próprios recursos, pode comandar a comunicação, fiscalizando os pensamentos, disciplinando os gestos e controlando o vocabulário do Espírito.

Reconhecemos — é bom que se diga — haver casos em que o médium não consegue exercer esse controle, por ser a vontade do comunicante mais firme do que a sua;

todavia, temos de convir que o médium terá sempre meios de cultivar a sua faculdade, educando-a no sentido de, na própria expressão de Áulus, agir qual se fosse enfermeiro "concordando com os caprichos de um doente, no objetivo de ajudá-lo. Esse capricho, porém, deve ser limitado, porque, consciente de todas as intenções do companheiro infortunado a quem empresta o seu "carro físico", o médium deve reservar-se "o direito de corrigi-lo em qualquer inconveniência".

O pensamento do Espírito, antes de chegar ao cérebro físico do médium, passa pelo cérebro perispirítico, resultando disso a propriedade que tem o medianeiro, *em tese*, de fazer ou não fazer o que a entidade pretende.

A prova desse controle, que o médium desenvolvido exerce, está na revolta demonstrada pelo Espírito ao completar-se a incorporação:

"Vejo! Vejo!... Mas por que encantamento *me prendem aqui*? Que *algemas me afivelam* a este móvel pesado?".

A explicação encontra-se na palavra do Assistente: "O sofredor" — disse o assistente, convicto —, "ao contato das forças nervosas da médium, revive os próprios sentidos e deslumbra-se. Queixa-se das cadeias que o prendem, cadeias essas que em cinquenta por cento decorrem da contenção cautelosa de Eugênia".

Mais adiante, outra exclamação do Espírito:

> Quem poderá suportar esta situação? Alguém me hipnotiza? Quem me fiscaliza o pensamento? Valerá restituir-me a visão, manietando-me os braços?

Fixando-o com simpatia fraterna, o Assistente informou-nos:
— Queixa-se ele do controle a que é submetido pela vontade cuidadosa de Eugênia.

FIO LIGANDO OS CÉREBROS DO ESPÍRITO DO MÉDIUM E DO ESPÍRITO COMUNICANTE

ESPÍRITO SOFREDOR OU ENDURECIDO

MÉDIUM

LIGAÇÃO ENTRE O ESPÍRITO DO MÉDIUM E O SEU PRÓPRIO CORPO

ESPÍRITO DO MÉDIUM

NA PSICOFONIA CONSCIENTE, PODE O MÉDIUM FISCALIZAR A COMUNICAÇÃO, CONTROLANDO GESTOS E PALAVRAS DO ESPÍRITO, UMA VEZ QUE O PENSAMENTO DESTE ATRAVESSA, ANTES, A MENTE DO MÉDIUM, PARA CHEGAR, AFINAL, AO CAMPO CEREBRAL.

A conclusão que o fato nos deixa é a de que a entidade, realmente alucinada, desejaria bater à mesa, gritar, expandir-se, etc.; entretanto, a vontade firme da médium a impede de realizar o seu objetivo.

A educação mediúnica, aliada à melhoria interior, sob o ponto de vista moral, possibilita, indiscutivelmente, a disciplina do comunicado.

O médium negligente, ainda não suficientemente educado, favorece a turbulência nas comunicações de Espíritos violentos.

Sem exigir-se o impossível dos médiuns, porque ninguém se julgará com direito, em sã consciência, à semelhante exigência, é justo lhes seja lembrado que o aprimoramento espiritual, o devotamento, a bondade com todos e o desejo de servir conduzem o medianeiro ao maior controle da própria vontade, assegurando, assim, o êxito da tarefa.

10
MECANISMO DAS COMUNICAÇÕES

O capítulo 5 do livro ora comentado representa integral confirmação do que, a respeito do mecanismo das comunicações, escreveram os clássicos do Espiritismo, sob a inspiração de Mais Alto, particularmente Léon Denis.

Para que um Espírito se comunique, é mister se estabeleça a sintonia da mente encarnada com a desencarnada. Essa realidade é pacífica.

É necessário que ambos passem a emitir vibrações equivalentes; que o teor das circunvoluções seja idêntico; que o pensamento e a vontade de ambos se graduem na mesma faixa.

Esse o mecanismo das comunicações espíritas, mecanismo básico que se desdobra, todavia, em nuanças infinitas, de acordo com o tipo de mediunidade, estado psíquico dos agentes — ativo e passivo —, valores espirituais, etc.

Sintonizado o comunicante com o medianeiro, o pensamento do primeiro se exterioriza por meio do campo físico do segundo, em forma de mensagem grafada ou audível.

Quanto mais evoluído o ser, mais acelerado o estado vibratório.

Assim sendo, em face das constantes modificações vibratórias, verificar-se-á sempre, em todos os comunicados, o imperativo da redução ou do aumento das vibrações para que eles se deem com maior fidelidade.

Mais uma vez, pois, somos compelidos a nos referirmos ao fenômeno magnético das vibrações compensadas.

Mais uma vez, surge a necessidade de reportarmo-nos ao problema da sintonia.

Mais uma vez, enfim, a questão da afinidade tem que ser, de novo, comentada.

E se assim procedemos é porque não devemos esquecer que "a mente permanece na base de todos os fenômenos mediúnicos".

Recorramos, pois, a outros campos em que a mesma lei de sintonia funciona para que os fenômenos se expressem.

A luz e o som são resultado de modificações vibratórias que facultam a sua percepção por nós e por outros seres.

O ouvido humano é incapaz de perceber o som produzido por menos de quarenta vibrações por segundo.

Cinquenta vibrações, porém, produzem um som que o ouvido humano percebe, sente, ouve.

Trinta vibrações produzem um som que o ouvido humano não ouve, não sente, não percebe.

O mínimo, por conseguinte, de vibrações percebíveis é de quarenta por segundo, e o máximo de 36.000.

35.500 vibrações produzem um som que o nosso ouvido percebe.

36.200 vibrações produzem um som que ultrapassa os limites de nossa acústica.

Com a luz, o fenômeno é semelhante.

O mínimo de vibrações percebíveis é de 458 milhões e o máximo de 727 bilhões por segundo.

Assim sendo, a nossa capacidade visual não percebe a luz produzida por vibrações menores do que 458 milhões, da mesma forma que nos escapará à visão a luz produzida por mais de 727 trilhões de vibrações.[1]

Essa mesma lei, de equivalência, funciona e opera em todas as manifestações vibracionais da natureza, inclusive, como não podia deixar de ser, nos fenômenos psíquicos ou mediúnicos.

Deixando à margem tais considerações, analisemos, agora, os fatores morais que, além de serem os de nosso maior interesse, motivam a publicação deste livro.

Se essa mesma lei de afinidade comanda inteiramente os fenômenos psíquicos, não há dificuldade em compreendermos por que as entidades luminosas ou iluminadas são compelidas a reduzir o seu tom vibratório a fim de, tornando mais densos os seus perispíritos, serem observadas pelos Espíritos menos evolvidos.

Os Espíritos, cujas vibrações se processam aceleradamente, devido à sua evolução, graduam o pensamento e

---

[1] Nota do autor: Esses números, extraímo-los do livro *Narrações do infinito*, de Camille Flammarion, edição da FEB.

densificam o perispírito quando desejam transmitir as comunicações, inspirar os dirigentes de trabalhos mediúnicos ou os pregadores e expositores do Evangelho e da Doutrina, como no caso de Raul Silva, que recebe a benéfica influenciação do instrutor Clementino a fim de melhor conduzir a doutrinação de desventurado Espírito.

> Clementino graduou o pensamento e a expressão de acordo com a capacidade do nosso Raul e do ambiente que o cerca, ajustando-se-lhe às possibilidades.
> Cada vaso recebe de conformidade com a estrutura que lhe é própria.

Referindo-se à densificação do perispírito do irmão Clementino, atento ao imperativo de cooperar com o dirigente dos trabalhos, para que as suas palavras obedecessem à inspiração superior, transcrevemos a observação de André Luiz:

"Nesse instante, o irmão Clementino pousou a destra na fronte do amigo que comandava a assembleia, mostrando-se-nos *mais humanizado, quase obscuro*".

Os grifos são nossos e objetivam levar a atenção do leitor para o fato da redução do tom vibratório, a fim de ajustar-se ao "calibre mediúnico" de Raul Silva.

Com a palavra, o assistente Áulus explicou o fenômeno que surpreendia André Luiz e Hilário:

> O benfeitor espiritual, que ora nos dirige, afigura-se-nos mais pesado porque amorteceu o elevado tom vibratório em que respira habitualmente, descendo à posição de Raul, tanto quanto lhe é possível, para benefício do trabalho começante.

Ainda com a palavra, o assistente para fazer uma comparação que atende à compreensão geral:

"Influencia agora a vida cerebral do condutor da casa, à maneira dum musicista emérito manobrando, respeitoso, um violino de alto valor, do qual conhece a firmeza e a harmonia".

Esse quadro é de extraordinária beleza espiritual e de profundo conteúdo moral.

Mostra-nos que um dirigente de trabalhos mediúnicos deve ser pessoa de responsabilidade, amável, sincera, dedicada, harmonizada consigo mesma, mediante consciência reta e do coração puro, e com muito boa vontade para ajudar em nome do Senhor Jesus.

Imaginemos quantos obstáculos encontram os Espíritos superiores, quando buscam inspirar um dirigente pretensioso e autossuficiente e que desliga as "antenas psíquicas", guardando o único objetivo de atirar sobre o Espírito sofredor ou endurecido, a pretexto de doutrinamento, uma sequência de palavras vazias de bondade.

Quanto mais evangelizado o dirigente, maior receptividade oferecerá aos instrutores, deles exigindo menor sacrifício.

Quanto mais esclarecido e bondoso o médium, maior a sintonia com os Espíritos elevados, reduzindo, igualmente, a quota de sacrifício dos abnegados instrutores.

Sem Evangelho no coração, todo trabalho ressentir--se-á de deficiência.

Mesmo que dirigente e médiuns "conheçam" a Doutrina, sem que, entretanto, o sentimento cristão lhes tenha lançado à alma o perfume da caridade, os frutos serão bem precários.

A prática evangélica aprimora o coração.

O conhecimento doutrinário ilumina a inteligência, alargando o raciocínio.

Evangelho no coração e doutrina no entendimento, eis o tipo ideal do cooperador de Jesus no cenário terrestre.

Aplicando, portanto, aos problemas mediúnicos as considerações relativas à percepção do som e da luz, de acordo com os sentidos físicos do homem, entenderemos por que os nossos ouvidos não registram, ainda, as maravilhosas sinfonias que enchem de beleza a vida universal.

Saberemos por que não sentimos, ainda, os magníficos odores da vida extraterrena.

Saberemos, enfim, por que os nossos olhos corporais não veem os quadros de luz que, algumas vezes, estão formados em torno de nós.

Ouvimos, sentimos e vemos, apenas, o que se manifesta dentro da incipiente órbita das nossas possibilidades.

O nosso tom vibratório, inferior e lento, circunscreve, limita as nossas percepções.

Retomando o assunto relativo à equivalência vibracional, acentuaremos esse detalhe de suma importância: o médium de boa moral e caridoso assegura a si próprio, graças ao seu elevado tom vibratório, a companhia de entidades elevadas.

Além disso, estará sempre apto a merecer a valiosa cooperação dos amigos espirituais superiores, uma vez que estes não encontram dificuldade no estabelecimento da sintonia.

Já o médium descuidado, ante o problema da própria renovação interior, é sempre um instrumento que dificulta o intercâmbio.

A exemplo do que fizemos com o som e a luz, recorramos a alguns algarismos elucidativos.

Para tanto, demos a palavra a Léon Denis:

> Admitamos, a exemplo de alguns sábios, que sejam de mil por segundo as vibrações do cérebro humano. No estado de transe, ou de desprendimento, o invólucro fluídico do médium vibra com maior intensidade, e suas radiações atingem a cifra de 1.500 por segundo. Se o Espírito, livre no Espaço, vibra à razão de dois mil no mesmo lapso de tempo, ser-lhe-á possível, por uma materialização parcial, baixar esse número a 1.500. Os dois organismos vibram então simpaticamente; podem estabelecer-se relações, e o ditado do Espírito será percebido e transmitido pelo médium em transe sonambúlico.

Ainda Léon Denis:

"...o Espírito, libertado pela morte, se impregna de matéria sutil e atenua suas radiações próprias, a fim de entrar em uníssono com o médium".

Conclui-se, das palavras do filósofo francês, que os Espíritos dispõem de recursos para reduzir ou elevar o tom vibratório, da seguinte forma:

a) Para reduzir o seu próprio padrão vibratório, o Espírito superior impregna-se de matéria sutil colhida no próprio ambiente.

b) Para elevar o tom vibratório do médium, o Espírito encontrará na própria concentração ou transe daquele os meios de ativar as vibrações.

O êxtase dos grandes santos é oriundo, sem dúvida, da profunda alteração vibracional a possibilitar-lhes meios de relação com as altas esferas e com o que nelas se desenrola: visões maravilhosas, celestes harmonias, cenários deslumbrantes ou vozes cheias de sabedoria.

A ignorância de tais fatos leva muitas vezes o médium não evangelizado a cometer lastimáveis enganos, comprometendo, assim, o nome e a reputação de abnegados companheiros.

Há médiuns que discordam de que estejam no recinto determinados Espíritos, por outrem observados, somente porque "não os viram"...

Se estudassem a Doutrina e cultivassem sinceramente os preceitos do Evangelho, não formulariam esses temerários juízos, pois saberiam que, se não viram, nem ouviram, aquilo que outros ouviram e viram, é porque, no momento, não respiravam psiquicamente na mesma faixa vibratória.

Tais observações levaram Hilário a formular interessantes indagações, inclusive se o fenômeno de absoluta sintonia, durante a comunicação, dificultaria, no médium,

Mecanismo das comunicações

a faculdade de distinguir, dos seus, os pensamentos do Espírito.

O esclarecimento do assistente Áulus é notável.

Os médiuns, especialmente aqueles que se deixam dominar pelo fantasma da dúvida, muito se beneficiarão com a palavra orientadora do bondoso instrutor.

Estudemos, com ele, o assunto:

a) "O pensamento que nos é próprio flui incessantemente de nosso campo cerebral." É intrínseco. É realização nossa.
b) O pensamento do Espírito é extrínseco. Vem de fora para dentro, alcançando-nos "o campo interior, primeiramente pelos poros, que são miríades de antenas".

Os nossos pensamentos são, via de regra, semelhantes no conteúdo moral e intelectual. Refletem o nosso estado evolutivo, traduzem as inclinações que nos são peculiares.

Os pensamentos dos Espíritos são, de modo geral, variáveis.

Divergem sempre, quanto à forma e à substância, uma vez que diversas são as inteligências que se comunicam.

Se estamos sendo acionados por um Espírito superior, os conceitos expendidos, verbal ou psicograficamente, serão luminosos, sublimes, misericordiosos.

Se agimos sob o comando de um Espírito menos esclarecido ou maldoso, os conceitos serão inconfessáveis.

Lembremo-nos, a propósito, de Pedro, o venerando apóstolo.

O Evangelho no-lo mostra a refletir, em alternativas de luz e sombra, ideias de Espíritos superiores ou inferiores, em várias circunstâncias de sua vida.

O mundo conheceu um médium que sempre refletiu a Luz divina: Jesus Cristo — *o médium de Deus*.

Após tais considerações, formulemos a pergunta final:

"Como saberá o médium se o pensamento é seu ou do Espírito?".

Com o estudo edificante, a meditação e o discernimento, adquiriremos a capacidade de conhecer a nossa frequência vibratória.

Saberemos comparar o nosso próprio estilo, pontos de vista, hábitos e modos, com os revelados durante o transe ou a simples inspiração, quando pregamos ou expomos a Doutrina.

Não será problema tão difícil separar o nosso do pensamento dos Espíritos.

A aplicação aos estudos espíritas, com sinceridade, dar-nos-á, sem dúvida, a chave de muitos enigmas.

11
Obsessões

Na atualidade os grupos mediúnicos estão sendo convocados a intensa atividade no setor das desobsessões, tendo em vista a avalancha de casos dolorosos que se verificam em toda a parte.

Tem-se mesmo a impressão de que as forças da sombra, aproveitando-se da invigilância dos encarnados, desfecham verdadeiro assalto à cidadela terrestre, exigindo que os centros espirituais se desdobrem no esforço assistencial.

Desde a obsessão simples até a possessão avançada, grande número de criaturas, abrindo brechas na mente e no coração, pelas quais se infiltram os desencarnados menos esclarecidos, cujas almas extravasam rancor e vingança, se veem a braços com o perigoso e cruel assédio de Espíritos com que se acumpliciaram no pretérito.

Desenvolvamos o estudo das obsessões por intermédio do seguinte gráfico, o qual, convém esclarecer, deve ser considerado como expressão genérica do fenômeno:

FASES DA OBSESSÃO	Fascinação	Ilusão produzida pela ação direta do Espírito sobre o pensamento do médium, perturbando-lhe o raciocínio.
	Subjugação	Domínio moral do Espírito sobre o encarnado, controlando-lhe a vontade.
	Possessão	Imantação do Espírito a determinada pessoa, dominando-a física e moralmente.

OBSESSÃO (sua definição)	Ação pela qual Espíritos inferiores influenciam, maleficamente, os encarnados.
CAUSAS HABITUAIS	Vingança, desejo do mal, orgulho de falso saber, leviandade, prevenções religiosas, paixões, etc.

OBSESSÃO SIMPLES { Ação eventual dos Espíritos sobre os encarnados. { Espíritos sem real expressão de maldade.

Não nos deteremos, por enquanto, no problema da fascinação, situado, logicamente, como ponto de partida da maioria das obsessões, o que faremos mais adiante, no capítulo próprio, uma vez que as observações do livro ora em estudo nos despertam para a amplitude do tema.

Repetiremos, apenas, a indicação gráfica: fascinação é a influência, sutil e pertinaz, traiçoeira e quase imperceptível, que Espíritos vingativos exercem sobre o indivíduo objeto de suas vinditas.

Se o encarnado faculta o acesso do Espírito ao seu psiquismo, ele se irá infiltrando lentamente, realizando um trabalho subterrâneo de hipnotização mental. Um dia, quando quisermos abrir os olhos, a penetração já se fez tão profunda que o afastamento se tornará difícil.

No princípio são, simplesmente, as atitudes excêntricas, o fanatismo e a singularidade. Depois a ação magnética se estenderá até os centros nervosos, e o domínio psíquico e corporal se acentua de tal modo que a pessoa não dispõe mais da vontade para comandar a própria vida.

Os psiquiatras, sem dúvida, na sua generalidade, não terão dificuldade em preencher, nos ambulatórios especializados, a ficha de mais um doente mental, a fim de submetê-lo ao internamento e ao eletrochoque indiscriminado.

Para os espíritas será, apenas, uma criatura que menosprezou a lei do amor no pretérito, contraindo, em consequência disto, sérios compromissos que permaneceram no tempo e no espaço, e que, defrontando-se na presente reencarnação com os comparsas de terríveis dramas, não teve a força precisa para fechar-lhes as portas da "casa mental", sofrendo, hoje, a incursão incômoda e muitas vezes cruel.

Reportemo-nos ao caso do enfermo que aparece, no capítulo 9 do livro em análise, *Nos domínios da mediunidade*, com o nome de Pedro.

Entreguemos, assim, a palavra ao assistente Áulus a fim de que suspenda uma ponta do véu que encobre o passado do doente:

> A luta vem de muito longe. Não dispomos de tempo para incursões no passado, mas, de imediato, podemos reconhecer o verdugo de hoje como vítima de ontem. Na derradeira metade do século findo, Pedro era um médico que abusava da missão de curar. Uma análise mental particularizada identificá-lo-ia em numerosas aventuras menos dignas. O perseguidor que presentemente lhe domina as energias era-lhe irmão consanguíneo, cuja esposa nosso amigo doente de agora procurou seduzir. Para isso, insinuou-se de formas diversas, além de prejudicar o irmão em todos os seus interesses econômicos e sociais, até inclina-lo à internação num hospício, onde estacionou, por muitos anos, aparvalhado e inútil, à espera da morte.

Eis, aí, um drama doloroso que, sem a menor sombra de dúvida, se repete aos milhares em todas as camadas sociais.

Se pudéssemos vislumbrar o nosso e o passado de quantos buscam, nos centros espíritas, a solução de seus problemas físicos e psicológicos, identificar-nos-íamos, diariamente, com um número incalculável de casos semelhantes.

De maneira geral, penalizamo-nos somente do encarnado, a quem, impensadamente, situamos como vítima.

O carinho dos médiuns centraliza-se, quase sempre, no companheiro que bateu à porta do Centro.

Os componentes do grupo, com honrosas exceções, também se compadecem, quase que exclusivamente, dos encarnados.

Entretanto, o conhecimento doutrinário, fruto de estudo e meditação, tem o dom de despertar, igualmente, os nossos cuidados e atenção para os habitantes do mundo espiritual.

A observação de casos iguais ao de Pedro compele-nos, certamente, a polarizarmos as melhores vibrações para aqueles que, por não se terem ajustado ainda à lei do amor, insistem em fazer justiça com as próprias mãos.

Quantos de nós, que hoje transitamos pelo mundo guardando relativo equilíbrio, deixamos no ontem desconhecido uma vertente de lágrimas e aflições, um oceano de amargura, como antigas personagens de crimes inomináveis, em nome da fé ou do amor menos digno, nos quais fizemos companheiros do caminho sorverem, até à última gota, a taça de fel de indescritíveis sofrimentos, derruindo-lhes, impiedosamente, a paz e a felicidade!

Não é justo, pois, olhemos carinhosamente para os desencarnados que reencontram os verdugos, a fim de que, uns e outros, envolvidos pelas nossas vibrações de fraternidade, possam ser amparados em nome da divina Compaixão?

Fechar a porta do nosso coração, pela indiferença ou pela hostilidade, aos desencarnados, é como se expulsássemos dos umbrais de nossa casa, em noite tempestuosa, o faminto e o trôpego, o doente e o nu, que, palmilhando, cegos e desorientados, as ruas da incompreensão, nos estendessem, súplices, as mãos esquálidas.

Nunca ajudaremos um Espírito endurecido no ódio, menosprezando-o ou ridicularizando-o.

Não será pela ironia ou pelo acinte que o ajudaremos.

Nunca e nunca.

Não será pelo desapreço à sua desventura que lhe conquistaremos a confiança; não será desse modo que lhe converteremos a alma enferma numa ânfora onde coloquemos o licor da Esperança, consagrando, felizes, entre vítimas e verdugos, as núpcias da reconciliação.

Nunca e nunca.

Restituamos, mais uma vez, a palavra ao assistente Áulus, a fim de conhecermos mais um pouquinho da vida pregressa do cavalheiro doente que, "na pequena fila de quatro pessoas que haviam comparecido à cata de socorro, parecia incomodado, aflito..." e que, instantes depois, sob a influência do verdugo, "desfecha um grito agudo e cai desamparado".

Acompanhemos o sofrimento do irmão ultrajado:

Desencarnando e encontrando-o na posse da mulher, desvairou-se no ódio de que passou a nutrir-se. Martelou-lhes, então, a existência e aguardou-os, Além-túmulo, onde os três se reuniram em angustioso processo de regeneração. A companheira, menos culpada, foi a primeira a retornar ao mundo, onde mais tarde recebeu o médico delinquente nos braços maternais, como seu próprio filho, purificando o amor de sua alma. O irmão atraiçoado de outro tempo, todavia, ainda não encontrou forças para modificar-se e continua vampirizando-o, obstinado no ódio a que se rendeu impensadamente.

E, ante a surpresa de André Luiz, continuou:

"Ninguém ilude a justiça. As reparações podem ser transferidas no tempo, mas são sempre fatais".

Não podemos reprimir o entusiasmo ante as luzes que o livro *Nos domínios da mediunidade* trouxe aos espiritistas, particularmente em face do complexo e delicadíssimo problema do mediunismo e da sua prática.

É um livro que chegou, como não podia deixar de ser, na hora oportuna.

A Espiritualidade viu as nossas necessidades nesse setor.

Anotou-nos as deficiências e precariedades, os abusos e a exploração inferior.

Verificou os rumos que os trabalhos tomavam, como se tivéssemos olvidado os conselhos e as diretrizes inseridos nos luminosos trabalhos do Codificador, completados pelos seus eminentes continuadores, especialmente Léon Denis.

E o livro foi psicografado, exaltando o serviço mediúnico por abençoada sementeira de luz e fraternidade.

Em face de problemas tão sérios, que se repetem aos milhares, saberemos todos nós, dirigentes de sessões e médiuns, ser mais comedidos em nossas afirmativas de solução para os intrincados problemas com que se defrontam os grupos mediúnicos.

Mesmo que se trate de "obsessão simples", decorrente de transitória influenciação de Espíritos desocupados, sem real expressão de maldade, a prudência e o bom senso aconselham moderação nos prognósticos de cura imediata, uma vez que o desequilíbrio do encarnado poderá "acomodar" o hóspede na sua "casa mental" por dilatado período.

E quando o encarnado age dessa maneira, quem poderá garantir a eficácia do esforço assistencial?

Não podemos nem devemos jamais prometer o "desenovelamento" de um drama complexo, cujo prólogo se perde na noite dos séculos ou dos milênios.

Dirigentes e médiuns esclarecidos sabem que existe uma lei de justiça funcionando, inexorável, na estrutura das obsessões.

Sabem que as perseguições, cujas raízes se acham imersas no pretérito, pedem tempo e paciência, compreensão e amor.

Exigem, ainda, esquecimento e perdão.

De posse dessa certeza, não digamos ao enfermo:

"Você vai ser curado em dois meses".

Falemos, simplesmente, assim:

"Meu irmão, confiemos em Jesus e busquemos, com Ele, a solução do seu caso".

Trabalhadores precipitados comprometem a Doutrina por meio de promessas insensatas.

Servidores esclarecidos contribuem, com a prudência, para o engrandecimento, cada vez maior, do ideal que nos irmana.

Repitamos, ainda uma vez, com Léon Denis: "O Espiritismo será o que dele os homens fizerem".

O caso do irmão Pedro teve o início do seu processo evolutivo com a fascinação.

Depois, à medida que ele se foi entregando, vieram a subjugação e a possessão.

O irmão ultrajado de ontem imantou-se à sua organização psíquica e somática.

Comanda-lhe a mente desarvorada.

Domina-lhe o corpo.

Derruba-o, fá-lo gemer e gritar. Tornou-o um epiléptico aos olhos do mundo.

Ambos receberão, se contribuírem para isso, a bênção do esclarecimento renovador.

As leituras edificantes, as palavras confortadoras e as vibrações amorosas repercutir-lhes-ão no íntimo, à maneira de suave reconforto, concitando-os ao perdão recíproco.

Se ambos abrirem, de par em par, as dobras do coração, tocados pela carinhosa advertência de Jesus, de que devemos reconciliar-nos com o adversário, enquanto estamos a meio do caminho, destruirão, sob a assistência dos protetores e com o concurso dos encarnados, os tenebrosos laços que, de forma tão lastimável, vincularam os seus destinos num turbilhão de rancor...

Enquanto isso, a esposa invigilante de ontem abre, hoje, ao infeliz sedutor, o seio transbordante de ternura, não só para "purificação do seu amor", como também para redimi-lo...

12
PONTUALIDADE

Transcrevamos, literalmente, as palavras iniciais do capítulo "Assimilação de correntes mentais", do livro *Nos domínios da mediunidade*:

"Faltavam apenas dois minutos para as vinte horas, quando o dirigente espiritual mais responsável deu entrada no pequeno recinto".

Eis aí uma observação de capital importância para os que dirigem ou compõem, na qualidade de médiuns ou colaboradores, núcleos de trabalhos práticos de Espiritismo.

Pontualidade!

Hora certa para início das tarefas, sem esquecimento da preparação que nos compete, enquanto aguardamos o momento dos santos labores do mediunismo com Jesus!

Notemos que somente dois minutos antes o dirigente espiritual deu entrada no recinto.

Imaginemos, agora, que aquele elevado instrutor se defrontasse, como às vezes acontece, com um agrupamento heterogêneo de encarnados barulhentos e irresponsáveis, cada um a comentar a seu modo e a ressaltar, muita vez maliciosamente, os acontecimentos do dia, de nenhum interesse para os trabalhos da noite.

Imaginemos a posição do devotado benfeitor que, após concluir, noutros setores, encargos respeitáveis, comparece, nobre e digno, para os serviços preparados, e encontra companheiros negligentes e descuidados, ruidosos e inconvenientes, a comentarem assuntos de natureza exclusivamente material; uns médiuns chegando agora, outros mais tarde; o dirigente descontrolado, a censurar uns e outros, contribuindo, mais ainda, para a desarmonia psíquica do ambiente.

Será que entidades tão venerandas, com tamanhos afazeres a realizar, investidas de tão santas responsabilidades e compreensão dos deveres, continuarão, numa verdadeira "pregação no deserto", assistindo núcleos que funcionam na base da negligência e da irresponsabilidade?!

Temos nossas dúvidas a este respeito.

É-nos impossível crer que Espíritos realmente superiores compartilhem da indisciplina que é própria a nós outros, cooperadores encarnados, de modo geral.

Há grupos que têm o início dos seus trabalhos marcado para as vinte horas, porém, por este ou aquele motivo, tais serviços vão começar lá pelas vinte e trinta e, às vezes, até mais tarde...

Será que os bons Espíritos, cujos instantes, na Espiritualidade, são contados e aplicados na execução de programas enobrecedores, não somente em benefício dos outros, mas de si mesmos, uma vez que estão sujeitos, igualmente, a programas de aprendizado, recebendo instruções em setores especializados, será que Espíritos desse quilate suportarão, indefinidamente, a ausência de responsabilidade que ainda se verifica em muitos núcleos, onde a compreensão mais elevada do serviço de intercâmbio construtivo entre os dois planos ainda não se fez de todo?

Que eles suportem algum tempo, acreditamos, mas, indefinidamente, não podemos crer.

O fato de o irmão Clementino ter chegado às vinte horas menos dois minutos, mostra-nos, claramente, como o problema da pontualidade é levado a sério no Espaço; o que, aliás, é muito lógico e racional, uma vez que entre os encarnados responsáveis existem o gosto e o cultivo da pontualidade.

Um núcleo espírita, de trabalhos mediúnicos ou doutrinários, que inicia os serviços hoje às vinte horas, na próxima semana às vinte e trinta e, assim, sucessivamente, sem o mais elementar senso de pontualidade, não pode, evidentemente, esperar a assistência de Espíritos superiores, mas sim de Espíritos dotados de ideias e "programas" equivalentes aos dos próprios componentes de tais núcleos.

Colocamos a palavra programa entre aspas, porque existem programas de todo o tipo, inclusive para destruir...

Quando penetrarmos num centro espírita, deixemos do lado de fora a desídia e a irresponsabilidade.

Um templo espírita é um santuário de prece e de trabalho. O recinto, onde se realizam serviços mediúnicos, é o altar desse santuário.

Ao ocuparmos o lugar que nos é reservado, iniciemos logo a preparação que nos compete, por meio do silêncio e da meditação superior, da prece sincera e da concentração, a fim de que, alimentando as nossas mentes de forças superiores, criemos para os trabalhadores do Espaço o clima de harmonia que eles esperam, desejam e precisam.

Se desejamos valorizar o nosso trabalho, devemos honrá-lo pelo respeito e pela sinceridade de propósitos, atraindo, assim, as atenções e o amparo de entidades respeitáveis.

Se, entretanto, desejamos conduzir os serviços mediúnicos com aquele espírito de frivolidade que caracterizou a observação dos fenômenos nos aristocráticos salões da França do século XIX, continuemos a realizá-los sem método e sem espírito de misericórdia, sem caridade e sem elevação de propósitos, ficando, entretanto, certos de uma coisa: as entidades da sombra comandarão tais serviços...

13
Vampirismo

O capítulo "Sonambulismo torturado" sugeriu-nos modesto estudo das manifestações vampirizantes, levando-nos a recorrer, para isso, ao magistral livro *Missionários da Luz*, de André Luiz.

O assunto é importante para todos nós, que nos achamos sinceramente interessados no esforço ascensional com o Cristo.

No livro em referência, encontramos a observação que nos apressamos a transcrever, à guisa de alicerce para a exposição que desejamos realizar.

É do instrutor Alexandre:

> Sem nos referirmos aos morcegos sugadores, o vampiro, entre os homens, é o fantasma dos mortos, que se retira do sepulcro, alta noite, para alimentar-se do sangue dos vivos. Não sei quem é o autor de semelhante definição, mas, no fundo, não está errada. Apenas cumpre considerar que, entre nós, vampiro é toda entidade ociosa que se vale, indebitamente, das possibilidades alheias e, em se tratando de vampiros que visitam os encarnados,

é necessário reconhecer que eles atendem aos sinistros propósitos a qualquer hora, desde que encontrem guarida no estojo de carne dos homens.

A elucidação, clara e simples, marca, conforme acentuamos, o ponto de partida ao nosso despretensioso e humilde estudo, levando-nos, preliminarmente, a concluir que, em face do desajuste mental do homem hodierno, eivado de vícios e paixões, de ordem fisiológica ou psicológica, tem o vampirismo, entre nós encarnados, extensão inconcebível.

Antes de fixarmos o gráfico elucidativo, visando a facilitar o desdobramento das considerações, façamos a definição de duas palavras que serão mencionadas com frequência no curso do presente estudo.

Larvas: Alimento mental das entidades infelizes, formado pelas nossas criações inferiores.

Vampirismo: Ação pela qual Espíritos involuídos, arraigados às paixões inferiores, se imantam à organização psicofísica dos encarnados (e desencarnados), sugando-lhes a substância vital.

A seguir, fixemos o gráfico que orientou a exposição do assunto em tela:

LOCALIZAÇÃO HABITUAL { Estômago
                        Fígado
                        Aparelho digestivo
                        Zona do sexo

CAUSAS EFETIVAS { Desregramentos emocionais
Glutonaria
Excessos alcoólicos
Cólera
Tristeza
Ódio, etc.

Fixado o diagrama, ocorrerá, possivelmente, por antecipação, a pergunta:

— Como evitaremos a vampirização?

E a resposta será, lógica e simplesmente: Pela conduta reta e pelo cultivo, incessante, de hábitos opostos aos acima caracterizados.

Só e só.

O instrutor Alexandre acentua que "quase sempre o corpo doente assinala a mente enfermiça", o que vale dizer: desequilibrados os centros perispirituais, o reflexo se fará, de imediato, no corpo físico.

"Atingido o molde (perispírito) em sua estrutura pelos golpes das vibrações inferiores, o vaso refletirá imediatamente."

Pelos excessos, na alimentação ou noutras manifestações mais caracteristicamente espirituais, de ordem inferior, criaremos tais larvas, com o que atrairemos, para o nosso campo mental e fisiológico, entidades ociosas.

O estômago, o fígado, o aparelho digestivo, etc., passarão a constituir delicioso pasto (e repasto, também...) para tais Espíritos, ainda não felicitados pela luz da renovação interior.

Com o mesmo automatismo com que, ao meio-dia, buscamos, num restaurante ou em nossa própria casa, o alimento indispensável ao corpo, tais entidades buscarão e encontrarão sempre, em nós, aquilo de que necessitam, aquilo de que se nutrem, as larvas criadas pelos nossos pensamentos e ações.

Isto porque "as ações produzem efeitos, os sentimentos geram criações, os pensamentos dão origem a formas e consequências de infinitas expressões".

Os excessos físicos ou mentais são a fonte geradora dessa fauna estranha.

"A cólera, a desesperação, o ódio e o vício oferecem campo a perigosos germens psíquicos na esfera da alma."

As criaturas que se entregam à embriaguez e aos desvarios do sexo são grandes produtoras dessas larvas que se localizam, naturalmente, na parte do corpo onde mais diretamente se refletem os desajustes.

Aqueles que julgam que a vida se resume, apenas, em comer e beber, dormir e procriar, não fogem ao imperativo da lei.

Os amigos espirituais observam, penalizados, que "aos infelizes que caíram em semelhante condição de parasitismo as larvas servem de alimento habitual", referindo-se aos desencarnados que se não despojaram dos hábitos cultivados enquanto no mundo.

Assim sendo, de conformidade com a natureza de nossa vida mental, fornecemos alimento para as entidades não esclarecidas.

Somos os seus sustentadores, os que lhes asseguram a economia organopsíquica.

E o instrutor Alexandre esclarece: "Naturalmente que a fauna microbiana, em análise, não será servida em pratos; bastará ao desencarnado agarrar-se aos companheiros de ignorância, ainda encarnados, qual erva daninha aos galhos das árvores, sugando-lhes a substância vital".

Vejamos como os benfeitores espirituais descrevem o organismo de um homem amante dos alcoólicos:

"Semelhava-se o corpo a um tonel de configuração caprichosa, de cujo interior escapavam certos vapores muito leves, mas incessantes".

E, mais adiante, o registro das "singularidades orgânicas".

O aparelho gastrintestinal parecia totalmente ensopado em aguardente.
Espantava-me o fígado enorme. Pequeninas figuras horripilantes postavam-se, vorazes, ao longo da veia porta, lutando desesperadamente com os elementos sanguíneos mais novos.

Essas "pequeninas figuras horripilantes" são as larvas...

Agora, observemos, com os amigos espirituais, o organismo de uma irmã "candidata ao desenvolvimento da mediunidade de incorporação", pessoa dedicada, sem dúvida cheia de boas intenções, mas "desviada nos excessos de alimentação":

"Guardava a ideia de presenciar, não o trabalho de um aparelho digestivo usual, e sim de *vasto alambique*, cheio de pastas de carne e caldos gordurosos, cheirando a vinagre de condimentação ativa".

Notemos, ainda, como André Luiz, conduzido pelo instrutor Alexandre, verificou a zona do sexo de um companheiro que, "de lápis em punho, mergulhado em profundo silêncio", aguardava o momento de exercitar a psicografia:

> As glândulas geradoras emitiam fraquíssima luminosidade, que parecia abafada por aluviões de corpúsculos negros, a se caracterizarem por espantosa velocidade.
> Pareciam imantados uns aos outros, na mesma faina de destruição.

Bastam essas transcrições básicas para que tenhamos uma perfeita noção de nossa responsabilidade, especialmente quando nos propomos a desenvolver faculdades medianímicas.

Não nos compenetrando, real e definitivamente, de que devemos ser comedidos na alimentação, estaremos à mercê das entidades vampirizantes, que, aos milhões, nos observam.

Enquanto não reconhecermos que "a prudência, em matéria de sexo, é equilíbrio da vida", o campo do mediunismo, particularmente, oferecerá sérios perigos aos que, invigilantes, lhe penetrem os domínios...

Os amigos espirituais têm-nos trazido, bondosa e insistentemente, tais advertências.

Não nos deixam ignorantes de tais notícias do mundo espiritual.

São pacientes e generosos, compreensivos e fraternos, suportando-nos, longos anos, a rebeldia e a desobediência aos princípios de temperança e moderação que nos compete exercitar.

Não desanimam no esforço de nos ajudar, à maneira do Senhor Jesus que, desde a manjedoura, espera por nós.

Confiam que, mais adiante, evangelicamente esclarecidos, possamos servir, operosa e cristãmente, com efetivos e reais benefícios para os outros e, também, para nós mesmos.

Aguardam que nos capacitemos, em definitivo, de que o corpo físico, embora transitório na configuração que lhe é peculiar, é o maravilhoso Templo do Espírito segundo São Paulo.

Em face de tamanha tolerância, compete-nos o esforço para equilibrarmos a própria vida.

A nossa experiência, como encarnados, não se resume, exclusivamente, em comer e dormir, em beber e procriar.

Com o mais sincero respeito aos nossos irmãos irracionais, lembremo-nos de que os animais comem e dormem, bebem e procriam...

A vida é a mais bela sinfonia de amor e luz que o divino Poder organizou.

A prece e o estudo, a boa vontade e o trabalho, o cultivo dos pensamentos enobrecedores e a bondade desinteressada farão de nossas almas harmoniosa nota de celestial beleza, enriquecendo a sublime orquestração que exalta as glórias do Ilimitado...

Reconhecendo, embora, que a nossa mente desequilibrada gera, ainda, criações e formas inferiores, dificultando-nos o acesso aos planos elevados, não nos podemos mais acomodar a semelhante clima, uma vez que já estamos informados de que a perseverança no bem dar-nos-á, indubitavelmente, poderosos recursos para a realização, à luz do Evangelho, do sublime ideal de cristianização de nossas almas, com o que se concretizará, em definitivo, a promessa do Senhor Jesus: "Aquele que perseverar até o fim será salvo".

14
Desenvolvimento mediúnico

O capítulo "Sonambulismo torturado", que nos forneceu ensejo ao estudo do vampirismo, é rico em observações relativas aos variados processos de resgates, os quais se expressam no mundo à maneira de complexos distúrbios mediúnicos.

Fixemos o gráfico-base da análise do assunto:

PROTAGONISTAS
- Devedores diretos
- Devedores indiretos
- (cúmplices)

PROCESSOS DE AUXÍLIO
- Magnéticos
- Verbais (doutrinação fraterna)
- Vibracionais
- (prece e concentração)

BENEFÍCIOS DISPENSADOS PELO AMPARO DOS CENTROS	O perseguidor sentirá necessidade de perdoar, para melhorar-se.
	O devedor direto será compelido a fortalecer-se e, perdoando, recuperar-se.
	O devedor indireto sentirá necessidade da meditação, da calma, da paciência e da cooperação para, reajustando-se, ter paz e felicidade.

Os personagens são dois encarnados: uma jovem senhora e o seu esposo, e o desencarnado, pai adotivo da moça, no passado foi por ela envenenado a mando do atual marido.

Três almas comprometidas com a Lei, em redentora provação.

Três corações entrelaçados por vínculos sombrios, pedindo compreensão, amor e tolerância.

A moça, como devedora direta, porque autora do envenenamento do próprio benfeitor.

O atual esposo, como devedor indireto, inspirador do extermínio, a fim de apossar-se da fortuna material.

E o desencarnado, ainda desajustado, incapaz de compreender os benefícios que o perdão sincero lhe proporcionaria, além de abrir-lhe a rota para o crescimento espiritual na direção da Luz.

Trata-se, sem dúvida, de complexo drama, em que o cúmplice de ontem recebe hoje, na condição de esposa, a noiva do passado por ele convertida em criminosa vulgar, a fim de ajudá-la a reajustar-se, curando a desarmonia que a sua ambição lhe gerou na mente invigilante.

A Lei — esta Lei cujo mecanismo ainda ignoramos quase que totalmente — incumbiu-se de promover o reencontro das três almas necessitadas de carinho.

Certa vez ouvimos um confrade afirmar que nós, os espíritas, somos os "milionários da felicidade".

Quanta verdade nesta afirmativa!

Efetivamente somos "milionários da felicidade" porque o nosso Espírito se enriquece, incessantemente, de novos conhecimentos que a Espiritualidade bondosamente nos revela, por meio da psicografia ostensiva e da pena inspirada dos escritores-sensitivos.

O Espiritismo nos ensina que a maioria dos lares terrestres se constitui de casamentos provacionais.

Antigos desafetos que se reúnem, respirando no mesmo teto, para a dissipação do rancor.

Almas que, interpretando defeituosamente as legítimas noções do amor, se acumpliciaram no pretérito.

Diminuto o número de casais reunidos por superiores afinidades.

Vejamos como o assistente Áulus descreve o reencontro, na atual reencarnação, dos personagens daquele drama selado com o sangue do pai adotivo da irmã que, na atualidade, se encontra a braços com a mediunidade torturada:

Decerto nosso companheiro na atualidade não se sente feliz. Recapitulando a antiga fome de sensações, abeirou-se da mulher que desposou, procurando instintivamente a sócia de aventura passional do pretérito, mas encontrou a irmã doente que o obriga a meditar e a sofrer.

Têm razão os benfeitores espirituais quando asseguram que "os templos espíritas vivem repletos de dramas comoventes, que se prendem ao passado remoto e próximo".

E por viverem repletos de tais dramas é que se impõe a todos, imprescindivelmente, a necessidade do estudo metódico e sério, a fim de que, casos que reclamam, simplesmente, amorosa ajuda a vítimas e verdugos, não sejam lastimavelmente confundidos com "mediunidade a desenvolver".

O caso em tela é um desses.

Uma casa espírita menos avisada iniciaria logo, com prejuízos para a irmã doente, o seu prematuro desenvolvimento mediúnico.

Um grupo consciente, como o visitado pelos irmãos André Luiz e Hilário, cuidaria, antes de tudo, de curá-la e ao perseguidor.

"É uma médium em aflitivo processo de reajustamento. É provável se demore ainda alguns anos na condição de doente necessitada de carinho e de amor."

E, completando o informe, com valiosa advertência aos dirigentes:

> Desse modo, por enquanto é um instrumento para a criação de paciência e boa vontade no grupo de trabalhadores que visitamos,

mas sem qualquer perspectiva de produção imediata, no campo do auxílio, de vez que se revela extremamente necessitada de concurso fraterno.

Deduz-se, assim, que toda pessoa que procura os centros espíritas, assinalada por complicados distúrbios mediúnicos, não deve ser levada de imediato, sistematicamente, à mesa do desenvolvimento.

Antes de tudo a ajuda fraterna, com o esforço pelo reajustamento.

Depois, sim, servir ao bem, com a mente harmonizada e o coração guardando, como sublime tesouro, aquela paz e aquele anseio de auxiliar o próximo.

Um pormenor que não pode deixar de ser mencionado é o das consequências advindas do aborto provocado por aquela irmã, quando a vítima do passado, o próprio pai adotivo assassinado, tentou o renascimento.

Tivesse ela assumido a responsabilidade maternal ao primeiro tentame, e não teria passado por tão cruéis sofrimentos.

É por isso que proclamamos alto e bom som: somos, efetivamente, "milionários da felicidade".

Jamais alguém conceituou os espíritas com tamanha exatidão.

"Milionários da felicidade"!

Nenhuma mulher espírita terá coragem de promover um aborto. E, se o fizer, pobrezinha dela!

A Doutrina Espírita preceitua que o aborto é um crime horripilante, tão condenável quanto o em que se elimina a existência de um adulto.

Conhecesse aquela irmã o Espiritismo e tê-lo-ia evitado, fugindo-lhe, assim, às desastrosas consequências.

A Misericórdia divina, entretanto, se compadece infinitamente de todos nós.

Via de regra, é mediante acerbas provações que o espírito humano, redimindo-se, reparando os erros, destruindo sinais de ódio e de sangue, inicia, esperançoso, a sublime caminhada para o Monte da Sublimação.

Acolhidos, inicialmente, em um núcleo cristão, o verdugo, a vítima e o cúmplice serão beneficiados.

Por meio de passes magnéticos, da doutrinação verbal amorosa e das vibrações dos componentes do grupo, receberão os três as claridades prenunciadoras da reconciliação, quando, então, o verdugo reingressará "nas correntes da vida física", reencarnando na condição de filhinho querido daqueles que, ontem, enceguecidos pela avareza, lhe cortaram impiedosamente o fio da existência...

Com a palavra, mais uma vez, o assistente Áulus:

"Noite a noite, de reunião em reunião, na intimidade da prece e dos apontamentos edificantes, o trio de almas renovar-se-á pouco a pouco".

O perseguidor sentirá a necessidade de perdoar, único caminho para alcançar a indispensável melhoria...

A vítima, devedora direta, sentirá a necessidade de fortalecer-se e, perdoando, recuperar-se a fim de, com Jesus, oferecer mais adiante a sua mediunidade aos serviços assistenciais...

E o esposo, devedor indireto, autor intelectual do crime, será compelido à meditação, à calma e à paciência, a fim de que, acertando as suas contas, tenha paz e felicidade...

15
Desdobramento mediúnico

O capítulo "Desdobramento em serviço" esclarece essa singular mediunidade, realmente pouco comum entre nós.

As ocorrências relacionadas com o desprendimento do Espírito do médium Castro — a começar no recinto dos trabalhos e terminando em esfera espiritual de reajuste, onde Oliveira, recém-desencarnado, refazia as próprias forças — favorecem a compreensão, inclusive de criaturas pouco afeitas a raciocínios mais profundos, desse maravilhoso fenômeno.

Ainda existe, mesmo em círculos espiritistas, quem faça uma certa confusão entre "médium de transporte" e "médium de desdobramento".

Vez por outra, ouve-se a informação: "Fulano é médium de transporte...".

E quando são pedidos detalhes, verifica-se que o Fulano mencionado é simplesmente um médium de desdobramento.

Médium de transporte é o de efeitos físicos e que serve de instrumento para que os Espíritos *transportem* objetos, flores, joias, etc., do exterior para o interior e vice-versa.

Esse é o médium que, corretamente, podemos denominar de médium de transporte.

Médium de desdobramento é aquele cujo Espírito tem a propriedade ou faculdade de desprender-se do corpo, geralmente em reuniões.

Desprende-se e excursiona por vários lugares, na Terra ou no Espaço, a fim de colaborar nos serviços, consolando ou curando.

Esse é o médium de desdobramento.

Castro, nosso conhecido de *Nos domínios da mediunidade*, é médium de desdobramento e está sendo preparado para maiores cometimentos na seara da fraternidade.

Dispensamo-nos de comentários mais amplos, porque essa exigência, mais técnica que moral, já foi atendida com o diagrama organizado para o estudo dessa faculdade e já incorporado a este livro, no presente capítulo.

Há condições, de ordem moral especialmente, das quais não pode o médium de desdobramento prescindir, se deseja aprimorar a sua faculdade e aumentar os seus recursos, como sejam:

a) Vida pura,
b) Aspirações elevadas,
c) Potência mental,
d) Cultivo da prece,
e) Exercício constante.

Além dessas condições, que reputamos indispensáveis ao médium, os componentes do grupo têm também deveres e responsabilidades, uma vez que lhes compete auxiliar o desprendimento, acompanhar mentalmente a trajetória do Espírito do médium e encorajá-lo, também pelo pensamento, *em sua viagem*.

Assim sendo, lembramos que três fatores essenciais são requisitados dos encarnados nos serviços de desdobramento, a saber:

a) Auxílio, por meio da prece,
b) Concentração,
c) Exortação.

A exortação, como não podia deixar de ser, é tarefa do dirigente encarnado dos trabalhos, isto no plano físico.

Há médiuns de desdobramento que recordam as ocorrências da excursão, enquanto outros, embora façam o relato durante o desdobramento, voltam ao corpo como se tivessem saído de prolongado sono.

Sutilezas do mediunismo...

Alguns necessitam de auxílio magnético dos encarnados para conseguirem o desdobramento, enquanto outros se desprendem facilmente, com a maior espontaneidade.

A nosso ver, nos trabalhos do Espiritismo Cristão, onde toda atividade deve caracterizar-se pela espontaneidade; no Espiritismo Cristão, onde se enxugam lágrimas e se abraçam almas revoltadas, é mais aconselhável aproveitar-se a cooperação daqueles que se desdobram com naturalidade, apenas com o concurso magnético dos protetores espirituais.

"Incipiente ainda nesse gênero de tarefa", Castro contou, em sua excursão astral, com a cooperação de Rodrigo e Sérgio, dois companheiros da Espiritualidade, os quais "lhe aplicaram à cabeça um capacete em forma de antolhos", a fim de que a sua atenção não se desviasse, no trajeto, para as peculiaridades do caminho, evitando-se a dispersão dos seus próprios recursos, inclusive para não dificultar o esforço volitivo.

"Vimos o rapaz, plenamente desdobrado, alçar-se no Espaço, de mãos dadas com ambos os vigilantes" — informa André Luiz.

E mais adiante: "O trio volitou em sentido oblíquo, sob nossa confiante expectação".

E à medida que avançavam noite adentro, espaço afora, o médium, "adormecido", descreve a viagem:

"Seguimos por um trilho estreito e escuro!... Oh! tenho medo, muito medo... Rodrigo e Sérgio amparam-me na excursão, mas sinto receio! Tenho a ideia de que nos achamos em pleno nevoeiro...".

A situação é perfeitamente compreensível: o Espírito de Castro atravessa zonas próximas à Terra, impregnadas da substância mental (piche aerificado, como costumam definir os amigos espirituais) expelida pelas Inteligências encarnadas e a traduzirem os habituais desequilíbrios humanos...

Desejos inferiores, caprichos, ódios, ambições, crimes...

Desdobramento mediúnico

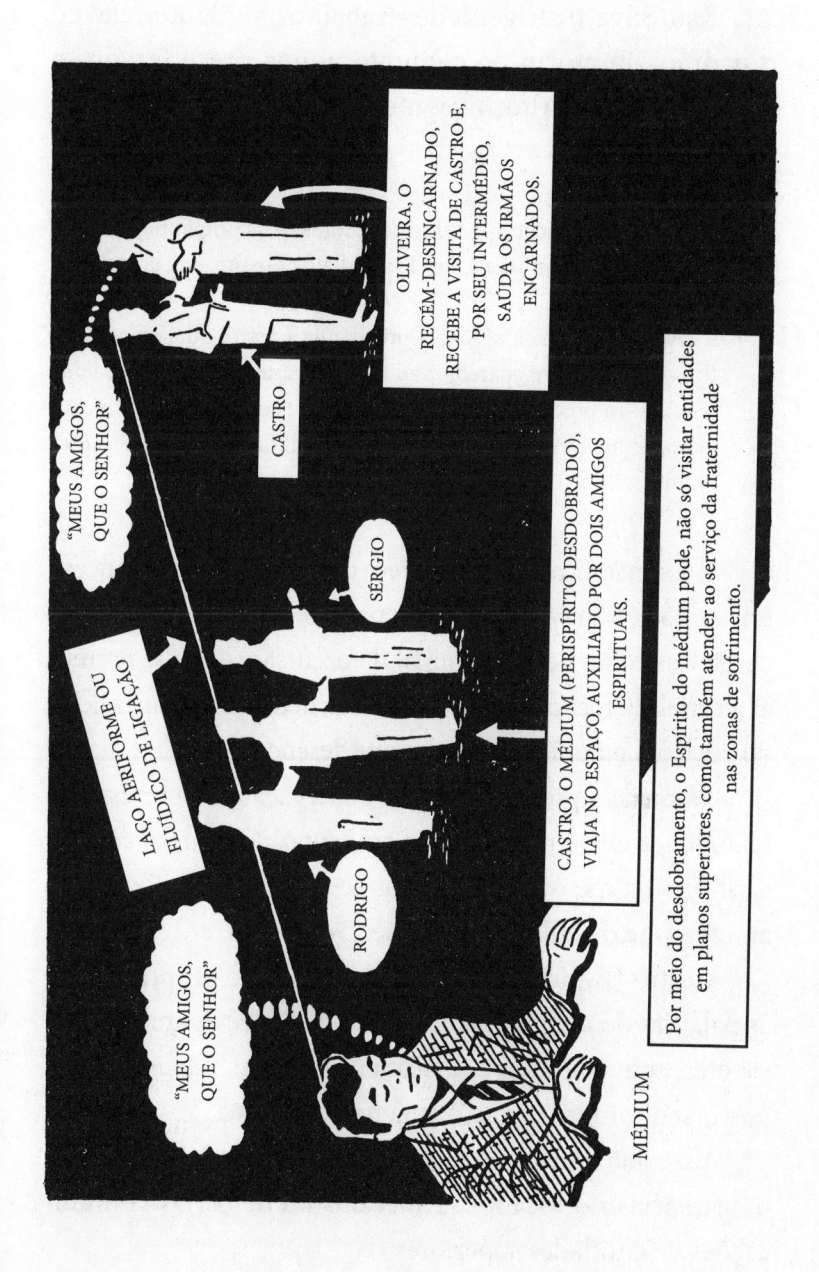

"MEUS AMIGOS, QUE O SENHOR"

OLIVEIRA, O RECÉM-DESENCARNADO, RECEBE A VISITA DE CASTRO E, POR SEU INTERMÉDIO, SAÚDA OS IRMÃOS ENCARNADOS.

CASTRO

SÉRGIO

LAÇO AERIFORME OU FLUÍDICO DE LIGAÇÃO

CASTRO, O MÉDIUM (PERISPÍRITO DESDOBRADO), VIAJA NO ESPAÇO, AUXILIADO POR DOIS AMIGOS ESPIRITUAIS.

RODRIGO

"MEUS AMIGOS, QUE O SENHOR"

MÉDIUM

Por meio do desdobramento, o Espírito do médium pode, não só visitar entidades em planos superiores, como também atender ao serviço da fraternidade nas zonas de sofrimento.

Raul Silva, o dirigente dos trabalhos, vigilante, "elevou o padrão vibratório do conjunto, numa prece fervorosa em que rogava do Alto forças multiplicadas para o irmão em serviço".

— A oração do grupo — informou Áulus —, acompanhando-o na excursão e transmitida a ele, de imediato constitui-lhe abençoado tônico espiritual.

— Ah! sim, meus amigos — prosseguia Castro, qual se o corpo físico lhe fosse um aparelho radiofônico para comunicações a distância —, a prece de vocês atua sobre mim como se fosse um chuveiro de luz... Agradeço-lhes o benefício!... Estou reconfortado... Avançarei!...

E assim, estimulado pela prece de Raul Silva, pela concentração dos encarnados e pelo concurso de Rodrigo e Sérgio, chega Castro ao ponto terminal da excursão, onde se entrega às alegrias do reencontro com Oliveira, dedicado companheiro do núcleo mediúnico, recentemente desencarnado.

Essa visita possibilita-nos a observação de interessante fenômeno: Oliveira transmite ao grupo, *por intermédio de Castro*, uma mensagem de reconhecimento e júbilo: "Meus amigos, que o Senhor lhes pague. Estou bem, etc., etc.".

Castro (Espírito) *recebe e retransmite* ao próprio corpo as palavras do amigo desencarnado. E elas ressoam, efetivamente, junto aos companheiros encarnados: "Meus amigos, que o Senhor lhes pague. Estou bem, etc., etc...".

Esse fato leva-nos a recordar oportunas conclusões doutrinárias no tocante ao mecanismo de certas comunicações de entidades superiores.

Suas palavras, até chegarem ao cenário terrestre, nos grupos mediúnicos, sofrem uma série de não sabemos quantas retransmissões, à maneira das recomendações de um general que, passando pelos oficiais imediatos, em escala descendente, chegam até ao simples soldado...

É a confirmação do princípio doutrinário de que, quanto maior a elevação, maior também a distância do comunicante.

Retornando ao corpo, Castro esfrega os olhos, "como quem desperta de grande sono".

A tarefa da noite estava concluída.

16
Clarividência e clariaudiência

Clarividência é a faculdade pela qual a pessoa vê os Espíritos com grande clareza.

A própria palavra indica: é a vidência clara.

Clariaudiência é a faculdade pela qual a pessoa ouve os Espíritos com nitidez.

É, por conseguinte, a audição clara.

Qualquer pessoa estudiosa dos assuntos espíritas saberá que o médium clarividente ou clariaudiente vê e ouve pela mente, sem necessidade do concurso dos olhos e dos ouvidos corporais.

Quantas vezes, tentando sustar uma visão desagradável, produzida por um Espírito menos esclarecido, o médium fecha os olhos e, quanto mais os aperta, a visão se torna mais nítida e melhor se definem os contornos da entidade?

Quantas vezes, também, fecha os ouvidos para não ouvi-la, comprimindo-os fortemente, sem, contudo, deixar de ouvir "a voz dos Espíritos"?

Bastaria isso, pensamos nós, para a comprovação plena da tese de que não se vê nem se ouve com os olhos e os ouvidos corporais.

Entretanto, acrescentemos outro exemplo: durante o sono a nossa alma, libertando-se algumas horas do corpo, inicia nova atividade, durante a qual vê, ouve e sente sem a cooperação dos órgãos físicos, o que confirma, pacificamente, a realidade já bastante conhecida dos espíritas: a visão e a audiência independem dos órgãos visuais e auditivos.

O médium vê e ouve por meio da mente, que, nesse caso, funciona à maneira de um prisma, de um filtro que reflete, diversamente, quadros e impressões, ideias e sentimentos iguais na sua origem.

Uma ocorrência supranormal produzida pelos Espíritos, em recinto fechado ou em qualquer parte, pode ser *vista* e *ouvida* diferentemente por dois, três ou quatro médiuns.

Cada um vê-la-á a seu modo, de acordo com o seu próprio estado mental e, em última análise, com os seus próprios recursos psíquicos.

Respondendo a uma indagação de Hilário sobre este assunto, o assistente Áulus esclarece:

"O círculo de percepção varia em cada um de nós".

E, mais adiante, acrescenta, à guisa de exemplo:

> Uma lâmpada exibirá claridade lirial em jato contínuo, mas, se essa claridade for filtrada por focos múltiplos, decerto estará submetida à cor e ao potencial de cada um desses filtros, embora continue sendo sempre a mesma lâmpada a fulgurar em seu campo central de ação...

Clarividência e clariaudiência

O mesmo fenômeno, auditivo ou visual, pode ser observado diversamente por vários médiuns, segundo o estado mental de cada um. A mente humana funciona à maneira de um prisma de cores variadas.

O fenômeno psíquico é como a claridade da lâmpada: sendo o mesmo, pode ser observado e interpretado de vários modos, segundo a filtragem mental de cada medianeiro.

O gráfico ilustrativo deste capítulo objetiva comprovar a tese exposta: assim como a claridade da lâmpada, ao atravessar focos de cores diferentes, faz que a luz tenha alterada a coloração original, da mesma forma três médiuns (três mentes diferentes) obviamente registram a seu modo o mesmo fenômeno.

As variações auditivas e visuais são demonstráveis por meio da observação seguinte: três são os médiuns presentes ao grupo visitado por André Luiz e Hilário, sob o comando do assistente Áulus.

André Luiz pondera que, "sutilmente ligados à faixa fluídica de Clementino (supervisor espiritual da reunião), os três médiuns, cada qual a seu modo, lhe acusavam a presença", no tocante à vidência e à audiência.

Quanto à vidência, acompanhemos as variações:

a) D. Celina o vê perfeitamente.
b) D. Eugênia o vê como se estivesse envolvido num lençol.
c) Castro o vê com nitidez.

No tocante à audição, a mesma diversidade:

a) D. Celina ouve-o perfeitamente.
b) D. Eugênia ouve-o "na forma de intuição".
c) Castro nada ouve.

Por que tal divergência no registro da presença do Espírito amigo?

Clementino não estava sintonizado com os três médiuns?

Não deveria, por conseguinte, ser visto e ouvido em igualdade de condições?

Isso é o que nos parece; entretanto, considerando que "o círculo de percepção varia em cada um de nós" e que a luz, atravessando filtros de várias cores, projeta focos de coloração diferente, a resposta àquelas indagações é simples e lógica.

Cada mente tem uma capacidade peculiar de percepção dos fenômenos, registrando-os, assim, de modo variado.

O médium que estuda e começa a entender esses delicados matizes do mediunismo, dificilmente fará juízos temerários quanto à vidência de outrem, ante a certeza de que os fenômenos por ele não observados podem, indubitavelmente, ser percebidos por outro companheiro.

Conjugar, pois, o conhecimento da Doutrina e do Evangelho significa caminhar para a compreensão e o entendimento.

O médium esclarecido saberá que os fenômenos espíritas, por transcendentes, estão ainda muito longe de ser por nós integralmente compreendidos.

E recordará, além disso, que a palavra do Senhor permanece: "Com a mesma medida com que medirdes o vosso irmão, sereis também medidos...".

17
Sonhos

O Espiritismo não podia deixar de interessar-se pelo problema dos sonhos, dando também, sobre eles, a sua interpretação.

Não podia o Espiritismo fugir a esse imperativo, eis que as manifestações oníricas têm acentuada importância em nossa vida de relação, uma vez que os chamados "sonhos espíritas" resultam, via de regra, das nossas próprias disposições, exercidas e cultivadas no estado de vigília.

A Doutrina Espírita não pode estar ausente de qualquer movimento superior, de fundo espiritual, que vise a amparar o Espírito humano na sua rota evolutiva.

Não é a Doutrina um movimento literário, circunscrito a gabinetes.

É um programa para ajudar o homem a crescer para Deus, a fim de que, elevando-se, corresponda ao imenso sacrifício daquele que, sendo o Cristo de Deus, se fez Homem para que os homens se tornassem Cristos.

Os sonhos, em sua generalidade, não representam, como muitos pensam, uma fantasia das nossas almas, enquanto há o repouso do corpo físico.

Todos eles revelam, em sua estrutura, como fundamento principal, a emancipação da alma, assinalando a sua atividade extracorpórea, quando então se lhe associam, à consciência livre, variadas impressões e sensações de ordem fisiológica e psicológica.

Estudemos o assunto, que se reveste de singular encanto, à luz do seguinte gráfico:

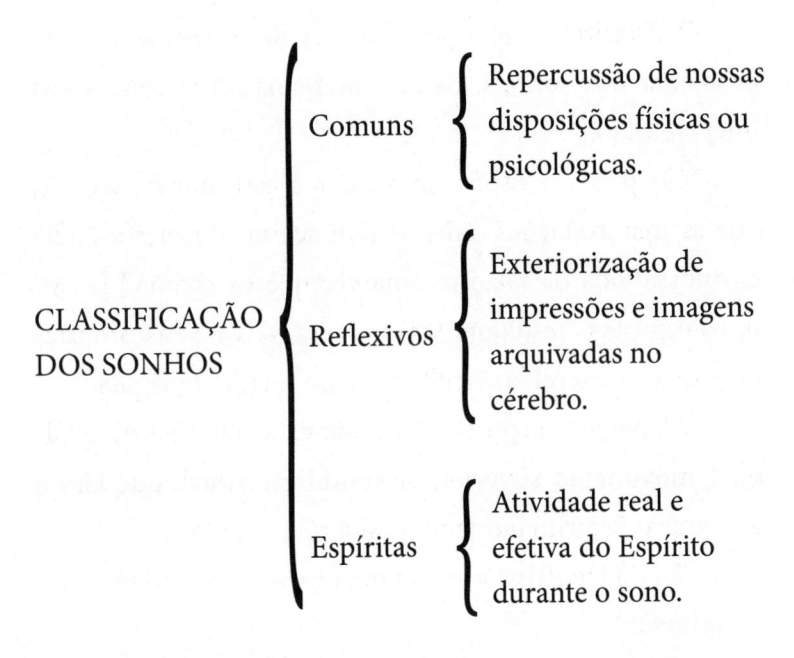

CLASSIFICAÇÃO DOS SONHOS		
	Comuns	Repercussão de nossas disposições físicas ou psicológicas.
	Reflexivos	Exteriorização de impressões e imagens arquivadas no cérebro.
	Espíritas	Atividade real e efetiva do Espírito durante o sono.

Feita a classificação no seu tríplice aspecto, façamos, agora, a devida especificação:

Comuns: O Espírito é envolvido na onda de pensamentos que lhe são próprios, bem assim dos outros.

Reflexivos: A modificação vibratória, resultante do desprendimento pelo sono, faz o Espírito entrar em relação com fatos, imagens, paisagens e acontecimentos remotos, desta e de outras vidas.

Espíritas: Por "sonhos espíritas", situamos aqueles em que o Espírito se encontra, fora do corpo, com:

a) Parentes
b) Amigos
c) Instrutores
d) Inimigos, etc.

Outras denominações poderão, sem dúvida, ser-lhes dadas, o que, supomos, não alterará a essência do fenômeno em si mesmo.

Estamos ainda no plano muito relativo das coisas. Assim sendo, tendo cada palavra o seu lugar e a sua propriedade, cabia-nos o imperativo da nomenclatura.

Geralmente temos sonhos imprecisos, desconexos, frequentemente interrompidos por cenas e paisagens inteiramente estranhas, sem o mais elementar sentido de ordem e sequência.

Serão esses os sonhos *comuns*.

Aqueles em que o nosso Espírito, desligando-se parcialmente do corpo, se vê envolvido e dominado pela onda de imagens e pensamentos, seus e do mundo exterior, uma vez que vivemos num misterioso turbilhão das mais desencontradas ideias.

O mundo psíquico que nos cerca reflete as vibrações de bilhões de pessoas encarnadas e desencarnadas.

Deixando o corpo em repouso, o Espírito ingressa no plano espiritual com apurada sensibilidade, facultando ao campo sensório o recolhimento, embarafustado, de desencontradas imagens antes não percebidas, em face das limitações impostas pelo cérebro físico.

Ao despertarmos, guardaremos imprecisa recordação de tudo, especialmente da ausência de conexão nos acontecimentos que, em forma de incompreensível sonho, povoaram a nossa vida mental.

A esses sonhos chamaríamos *sonhos comuns*, por serem eles os mais frequentes.

Por *reflexivos*, categorizamos os sonhos em que a alma, abandonando o corpo físico, registra as impressões e imagens arquivadas no subconsciente e plasmadas na organização perispiritual.

Tal registro é possível de ser feito em virtude da modificação vibratória, que põe o Espírito em relação com fatos e paisagens remotos, desta e de outras existências.

Ocorrências de séculos e milênios gravam-se indelevelmente em nossa memória, estratificando-se em camadas superpostas.

A modificação vibratória, determinada pela liberdade de que passa a gozar o Espírito, no sono, fá-lo entrar em relação com acontecimentos e cenas de eras distantes, vindos à tona em forma de sonho.

A esses sonhos, na esquematização de nosso singelo estudo, daremos a denominação de "reflexivos", por refletirem eles, evidentemente, situações anteriormente vividas.

Cataloguemos, por último, os *sonhos espíritas*.

Esses se revestem de maior interesse para nós, por atenderem com mais exatidão e justeza à finalidade deste livro, qual seja a de, sem fugir à feição evangélica, fazer com que todos os capítulos nos sejam um convite à reforma interior, como base para a nossa felicidade e meio para, em nome da fraternidade cristã, melhor servirmos ao próximo.

Nos *sonhos espíritas* a alma, desprendida do corpo, exerce atividade real e afetiva, facultando meios de encontrarmo-nos com parentes, amigos, instrutores e, também, com os nossos inimigos, desta e de outras vidas.

Quando os olhos se fecham, com a visitação do sono, o nosso Espírito parte em disparada, por influxo magnético, para os locais de sua preferência.

O viciado procurará os outros.

O religioso buscará um templo.

O sacerdote do bem irá ao encontro do sofrimento e da lágrima, para assisti-los fraternalmente.

Enquanto despertos, os imperativos da vida contingente nos conservam no trabalho, na execução dos deveres que nos são peculiares.

Adormecendo, a coisa muda de figura.

Desaparecem, como por encanto, as conveniências.

A atividade extracorpórea passará a refletir, sem dissimulações ou constrangimentos, as nossas reais e efetivas inclinações, superiores ou inferiores.

Buscamos sempre, durante o sono, companheiros que se afinam conosco e com os ideais que nos são peculiares.

Para quem cultive a irresponsabilidade e a invigilância, quase sempre os sonhos revelarão convívio pouco lisonjeiro, cabendo, todavia, aqui a ressalva doutrinária, exposta na caracterização dos *sonhos reflexivos*, de que, embora tenha no presente uma vida mais ou menos equilibrada, poderemos, logicamente, reviver cenas desagradáveis, que permanecem virtualmente gravadas em nosso molde perispiritual.

Quem exercite, abnegadamente, o gosto pelos problemas superiores, buscará durante o sono a companhia dos que lhe podem ajudar, proporcionando-lhe esclarecimento e instrução.

O tipo de vida que levarmos, durante o dia, determinará invariavelmente o tipo de sonhos que a noite nos ofertará em resposta às nossas tendências.

As companhias diurnas serão, quase sempre, as companhias noturnas fora do vaso físico.

O esforço de evangelização das nossas vidas e a luta incessante pela modificação dos nossos costumes, objetivando a purificação dos nossos sentimentos, dar-nos-ão, sem dúvida, o prêmio de sonhos edificantes e maravilhosos, expressando trabalho e realização.

Com instrutores devotados nos encontraremos e deles ouviremos conselhos e reconforto.

Dessas sombras amigas, que acompanham a migalha da nossa boa vontade, receberemos estímulo para as nossas sublimes esperanças.

18
ESPIRITISMO E LAR

O capítulo "Em serviço espiritual", apresentando-nos as figuras de Celina e Abelardo, sugeriu-nos, inicialmente, o estudo do problema do lar.

O fato de o esposo desencarnado continuar ao lado da médium, confirmando, assim, alguns casos em que o matrimônio constitui alguma coisa além da união dos corpos, levou-nos à tentativa de classificá-lo em cinco tipos principais, assim compreendidos:

CLASSIFICAÇÃO
DOS CASAMENTOS
{
Acidentais
Provacionais
Sacrificiais
Afins (afinidade superior)
Transcendentes
}

Acidentais: Encontro de almas inferiorizadas, por efeito de atração momentânea, sem qualquer ascendente espiritual.

Provacionais: Reencontro de almas, para reajustes necessários à evolução de ambos.
Sacrificiais: Reencontro de *alma iluminada com alma inferiorizada*, com o objetivo de redimi-la.
Afins: Reencontro de corações amigos, para consolidação de afetos.
Transcendentes: Almas engrandecidas no bem e que se buscam para realizações imortais.

Evidentemente, o instituto do matrimônio, sagrado em suas origens, tem reunido no mesmo teto os mais variados tipos evolutivos, o que vem demonstrar que a união, na Terra, funciona, às vezes como meio de consolidação de laços de pura afinidade espiritual, e, noutros casos, em sua maioria, como instrumento de reajuste.

Algumas vezes o lar é um santuário, um templo, onde as almas engrandecidas pela legítima compreensão exaltam a glória suprema do amor sublimado.

Em sua maioria, porém, os lares são cadinhos purificadores, onde, sob o calor de rudes provas e dolorosos testemunhos, Espíritos frágeis caminham, vagarosamente, na direção do Mais Alto.

Nos casamentos *acidentais* teremos aquelas pessoas que, defrontando-se um dia, se veem, se conhecem, se aproximam, surgindo, daí, o enlace acidental, sem qualquer ascendente espiritual.

Funcionou, apenas, o livre-arbítrio, uma vez que por ele construímos cotidianamente o nosso destino.

Num mundo como o nosso, tais casamentos são comuns.

Nem laços de simpatia, nem de desagrado.

Simplesmente almas que se encontraram, na confluência do caminho, e que, perante as leis humanas, uniram apenas os corpos.

Esses casamentos podem determinar o início de futuros encontros, noutras reencarnações.

Quanto aos *provacionais*, em que duas almas se reencontram em processo de reajustamento, necessário ao crescimento espiritual, esses são os mais frequentes.

A maioria dos casamentos obedece, sem nenhuma dúvida, a esse desiderato.

Por isso existem tantos lares onde reina a desarmonia, onde impera a desconfiança, onde os conflitos morais se transformam, tantas vezes, em dolorosas tragédias.

Deus uniu-os, por intermédio das leis do mundo, a fim de que, pelo convívio diário, a lei maior, da fraternidade, fosse por eles exercida nas lutas comuns.

A compreensão evangélica, a boa vontade, a tolerância e a humildade são virtudes que funcionam à maneira de suaves amortecedores.

O Espiritismo, pela soma de conhecimentos que espalha, tem sido meio eficiente para que muitos lares, construídos na base da provação, se reajustem e se consolidem, dando, assim, os primeiros passos na direção do infinito bem.

O Espírita esclarecido sabe que somente ele pagará as suas próprias dívidas.

Nenhum amigo espiritual modificará o curso das Leis divinas, embora lhe seja possível estender os braços generosos aos que se curvam ante o peso de duras provas, entre as quatro silenciosas paredes de um lar.

O espírita esclarecido, homem ou mulher, aprende a renunciar, em benefício de sua paz e do seu reajuste.

E o faz, ainda, porque tem a inabalável certeza de que, se fugir hoje ao resgate, voltará, amanhã, na companhia daquele ou daquela de quem procura, agora, afastar-se.

A humildade, especialmente, tem um poder extraordinário de harmonização dos lares, convertendo-os, dentro da relatividade que assinala todas as manifestações da vida humana, em legítimos santuários onde o destino dos filhos possa plasmar-se nas exemplificações edificantes.

Agora, os casamentos *sacrificiais*.

Esses reúnem almas possuidoras de virtude e sentimentos opostos.

É uma alma esclarecida, ou iluminada, que se propõe ajudar a que se atrasou na jornada ascensional.

Como a própria palavra indica, é casamento de sacrifício para um dos cônjuges.

E o sacrificado tanto pode ser a mulher como o homem.

Não há regra para isso.

Temos visto senhoras delicadíssimas, ternas e virtuosas, que se casam com homens ásperos e grosseirões, de sentimentos abjetos, do mesmo modo que existem homens, que são verdadeiras joias de bondade e compreensão, consorciados com mulheres de sentimentos inferiorizados.

A isso se dá, com inteira propriedade, a denominação de casamentos *sacrificiais*.

Quem ama não pode ser feliz se deixou na retaguarda, torturado e sofrendo, o objeto de sua afeição.

Volta, então, e, na qualidade de esposo ou esposa, recebe o viajor retardado, a fim de, com o seu carinho e com a sua luz, estimular-lhe a caminhada.

É o vanguardeiro, compassivo, que renuncia aos júbilos cabíveis ao vencedor, e retorna à retaguarda de sofrimento para ajudar e servir.

O casamento sacrificial é, pois, em resumo, aquele em que um dos cônjuges se caracteriza pela elevação espiritual, e o outro pela condição evolutiva deficitária.

O mais elevado concorda sempre em amparar o desajustado.

Assim sendo, a mulher ou o homem que escolhe companhia menos elevada deve "levar a cruz ao calvário", como se diz geralmente, porque, sem dúvida, se comprometeu na Espiritualidade a ser o cireneu de todas as horas.

O recuo, no caso, seria deserção a compromisso assumido.

Mais uma vez se evidencia o valor do Evangelho nos lares, como em toda a parte, funcionando à maneira de estimulante da harmonia e construtor do entendimento.

Os casamentos denominados *afins*, no sentido superior, são os que reúnem almas esclarecidas e que muito se amam.

São Espíritos que, pelo matrimônio, no doce reduto do lar, consolidam velhos laços de afeição.

Por fim, temos os casamentos que denominamos de *transcendentes*.

São constituídos por almas engrandecidas no amor fraterno e que se reencontram, no plano físico, para as grandes realizações de interesse geral.

A vida desses casais encerra uma finalidade superior.

O ideal do bem enche-lhes as horas e os minutos.

O anseio do Belo repleta-lhes as almas de doce ventura, pairando, acima de quaisquer vulgaridades terrestres, acima do campo das emoções inferiores, o amor puro e santo.

Todos nós passamos, ou passaremos ainda, segundo for o caso, por toda essa sequência de casamentos: acidentais, provacionais e sacrificiais, até alcançarmos no futuro, sob o sol de um novo dia, a condição de construirmos um lar terreno na base do idealismo transcendental ou da afinidade superior.

Enquanto não atingirmos tal situação, o Senhor, pelo seu Evangelho, irá enchendo de paz a nossa vida. E o Espiritismo, abençoada Doutrina, repletará os nossos dias das mais sacrossantas esperanças...

19
Estranha obsessão

Via de regra, quando se fala em obsessão, ocorre-nos logo o seguinte conceito: Espírito ou Espíritos menos esclarecidos influenciando, prejudicialmente, a vida dos encarnados.

Quase ninguém, ou melhor, ninguém admite o lado inverso da realidade, isto é, o encarnado influenciando, prejudicialmente, o desencarnado.

Ninguém se lembra desse estranho e aparentemente paradoxal tipo de obsessão, em que os "vivos" do mundo envolvem os "mortos" na teia dos seus pensamentos desequilibrados e enfermiços, exercendo, sobre os que já partiram para o Além, terrível e complexa obsessão.

Pois esse tipo de obsessão não é tão insólito como erroneamente pensamos.

Há muitos Espíritos sofrendo a influenciação dos encarnados e lutando, tenazmente, para se livrarem dessa influenciação.

Quem se familiariza com trabalhos práticos, sem dúvida, já presenciou desesperadas reclamações de Espíritos, de que *Fulano* ou *Beltrano* (encarnado) *não lhe dá trégua*, não deixa, um instante sequer, de atraí-lo para junto de si.

Um caso típico em que o encarnado obsidia o desencarnado, identificamo-lo no capítulo "Em serviço espiritual".

Transcrevamos, inicialmente, a convocação dos trabalhadores para o serviço assistencial ao caso em apreço, para melhor acompanharmos o seu desenvolvimento.

Tem a palavra Abelardo, cooperador de boa vontade do plano espiritual, que se dirige ao assistente Áulus:

> — Meu caro Assistente — continuou, inquieto —, venho rogar-lhe auxílio em favor de Libório. O socorro do grupo mediúnico melhorou-lhe as disposições, mas agora é a mulher que piorou, perseguindo-o...

Qualquer um de nós, ante esse apelo, faria logo o seguinte raciocínio: Libório é o encarnado amparado pelo grupo mediúnico, e "a mulher que piorou" é a entidade que o persegue.

Tal entretanto não se dá. Libório é o Espírito perseguido por Sara, criatura ainda encarnada e a quem se ligou, no mundo, por descontrolada paixão.

Sintonizados na mesma faixa vibracional deprimente, estão ligados um ao outro, acusando dolorosa e complexa simbiose obsessional.

Atendendo ao apelo de Abelardo, Áulus e os demais excursionistas do Além demandaram ao local onde Libório fora recolhido, depois de ter sido amparado, horas antes, pelo grupo terrestre.

Findos alguns minutos de marcha, atingimos uma construção mal iluminada, em que vários enfermos se demoravam, sob a assistência de enfermeiros atenciosos.
Entramos.
Áulus explicou que estávamos ali diante de um hospital de emergência, dos muitos que se estendem nas regiões purgatoriais.

Mais adiante, continua a descrição de André Luiz:

Alcançáramos o leito simples em que Libório, de olhar esgazeado, se mostrava distante de qualquer interesse pela nossa presença.[...]
Um dos guardas veio até nós e comunicou a Abelardo que o doente trazido à internação denotava crescente angústia.
Áulus auscultou-o, paternalmente, e, em seguida, informou:
— O pensamento da irmã encarnada que o nosso irmão vampiriza está presente nele, atormentando-o. Acham-se ambos sintonizados na mesma onda. É um caso de perseguição recíproca.

O caso em estudo é um dos muitos interessantes que o livro *Nos domínios da mediunidade* nos trouxe.

A moça enferma — Sara —, apesar de socorrida fraternalmente no grupo mediúnico, insiste em não destruir a corrente mental que a vincula ao Espírito em viciosa imantação, nutrindo-se, reciprocamente, das emanações e desejos que lhes são próprios.

Dependendo a cura das obsessões, em grande parte, da conduta dos encarnados, não dá a moça a menor colaboração ao esforço dos componentes e dos supervisores espirituais do grupo.

Os amigos trabalham, por um lado, objetivando o desligamento, e, por fim, a libertação ante o jugo incômodo do

Durante o sono, Sara abandona o corpo e procura, inquieta, o Espírito de Libório, recolhido a um posto de emergência no Espaço, num exemplo típico de obsessão recíproca.

Espírito; todavia, a irmã encarnada dificulta a tarefa e fortalece os laços que a prendem ao ex-companheiro da Terra, atormentando-o com as suas reiteradas solicitações, por meio do pensamento.

Caso difícil, esse, a reclamar dos companheiros do grupo terrestre muita paciência e dedicação, muita tolerância e amor, a fim de que, educando-a, possam levá-la à modificação dos centros de vida mental.

Retirando-se da sessão, horas antes, dirigiu-se Sara para a sua casa, de onde passou a irradiar pensamentos descontrolados na direção do antigo companheiro, provocando no pobre irmão, apesar de recolhido ao hospital de emergência, inquietação e angústia.

Vencida pelo cansaço, vai ela confiar-se ao sono.

Que sucederá?

Aproveitará a bênção do repouso físico ou continuará a sequência de pensamentos enfermiços e deprimentes?

Temos a resposta na transcrição que a seguir fazemos, iniciadas com a justa observação de Áulus quanto ao estado de angústia de Libório:

> Tudo indica a vizinhança da irmã que se lhe apoderou da mente. Nosso companheiro se revela mais dominado, mais aflito...
> Mal acabara o orientador de formular o seu prognóstico e a pobre mulher, desligada do corpo físico pela ação do sono, apareceu à nossa frente, reclamando, feroz:
> — Libório, Libório! Por que te ausentaste? Não me abandones! Regressemos para nossa casa! Atende! Atende!...

Diante dessa ocorrência, poderá sobre-existir qualquer dúvida, de nossa parte, quanto à obsessão produzida pelos encarnados?

Evidentemente não cabe nenhuma dúvida. Consoante o parecer de Áulus, "isso acontece na maioria dos fenômenos de obsessão, quando "encarnados e desencarnados se prendem uns aos outros, sob vigorosa fascinação".

Casos dessa ordem fortalecem a nossa convicção de que cuidar de um obsidiado não significa, apenas, o esforço de afastamento do perseguidor, a qualquer preço, como se o serviço assistencial da mediunidade com Jesus se resumisse a simples operação de "saca-rolhas" comum, mas, sobretudo, possibilitar ao enfermo meios de esclarecimento, a fim de que, reajustado mentalmente, coopere, também, no esclarecimento do irmão necessitado.

Os centros espíritas não devem, simplesmente, conduzir aos gabinetes mediúnicos os enfermos, para livrá-los da companhia das entidades desajustadas.

Devem, num trabalho simultâneo, conduzi-los às salas de leitura e estudo do Evangelho e da Doutrina, com o objetivo não só de evidenciar a parcela de cooperação que lhes é atribuída, no serviço desobsessivo, como, especialmente, de convencê-los de que são eles, os obsidiados, as principais peças no serviço de cura.

A leitura e o estudo, bem orientados, conduzem a resultados satisfatórios nos serviços de desobsessão.

Conjugados à meditação, levam a criatura a renovar os centros de vida mental, possibilitando-lhes recursos para realizar, com êxito e de forma definitiva, a sua libertação espiritual.

É por isso que no *O evangelho segundo o espiritismo* encontramos sábia e generosa advertência de categorizado Espírito, no sentido de que, além do mandamento primitivo, "amai-vos uns aos outros", um outro existe, também de fundamental importância: "instruí-vos"...

20
Reajustamento

O capítulo "Forças viciadas" registra interessantíssimas observações de André Luiz numa casa de pasto igual a tantas outras que se espalham por todas as cidades, onde o fumo e o álcool, aliados a indébitos prazeres e a condenáveis excessos, contribuem para que muita gente permaneça longos anos sob o guante de entidades vampirizantes.

> A casa de pasto regurgitava...
> Muita alegria, muita gente. [...]
> As emanações do ambiente produziam em nós indefinível mal-estar.
> Junto de fumantes e bebedores inveterados, criaturas desencarnadas, de triste feição, se demoravam expectantes.
> Algumas sorviam as baforadas de fumo arremessadas ao ar, ainda aquecidas pelo calor dos pulmões que as expulsavam, nisso encontrando alegria e alimento. Outras aspiravam o hálito de alcoólatras impenitentes.

Como preâmbulo aos nossos comentários, bastam as transcrições acima.

Por elas podemos concluir quanto à influência, benéfica ou maléfica, dos ambientes que frequentamos.

Milhares de criaturas encarnadas, homens e mulheres, ficam, sem que disso se apercebam, à mercê de tais entidades, dominadas, como vivem, pelo álcool e pelo fumo.

Como o objetivo essencial deste livro é o de focalizar assuntos relacionados com o mediunismo, lembramos a importância ambiencial para o obreiro da seara mediúnica.

O médium que preza a faculdade que Deus lhe concedeu e que deseja converter-se em servidor operoso, não deve habituar-se aos ambientes viciosos, onde os frequentadores, encarnados e desencarnados, pela expressão inferiorizada dos seus sentimentos, constituam ameaça ao seu equilíbrio interior.

Mesmo aqueles medianeiros que se caracterizam por relativa segurança sofrem os reflexos vibratórios de semelhantes ambientes.

Devemos considerar que é o médium, em tese, uma criatura falível, igual a todos nós.

A circunstância, mesma, de ter mais apurada sensibilidade, torna-o mais acessível às influenciações psíquicas.

A "casa mental" do medianeiro deve estar sempre custodiada pelo amor e pela sabedoria, pela moral e pela compreensão.

Somente o obreiro que já se realizou a si mesmo, por intermédio da faculdade bem desenvolvida e cristãmente educada, saberá resguardar-se com êxito.

Somente o medianeiro portador de apreciáveis valores morais poderá, sem prejuízos, neutralizar as influenciações perniciosas.

Recorrendo ao Evangelho, fonte de toda a sabedoria, mencionaremos, por oportuna, aquela passagem em que Jesus, estando em Betsaida, cura um cego e depois lhe recomenda, incisivo:

"Absolutamente não entres na aldeia".

O médium que deseja preservar o seu equilíbrio deve ser cuidadoso na escolha dos ambientes que lhe convêm.

Sempre que possível, seria de toda a conveniência que o trabalhador da seara mediúnica preferisse os seguintes ambientes:

a) O próprio lar, que ele deve converter num santuário de compreensão;
b) Os grupos espíritas bem-orientados, onde Jesus e Kardec sejam permanente bússola;
c) O convívio com companheiros sinceros e cheios de boas intenções;
d) Reuniões com pessoas bem-intencionadas e de sentimentos elevados, onde as conversações edificantes contribuam para a manutenção do seu equilíbrio íntimo.

Somente o imperativo do serviço assistencial deve levar o médium a ambientes mal-assistidos.

Somente o imperativo da fraternidade deve justificar a presença do obreiro do mediunismo cristão em ambientes duvidosos, onde as paixões e os sentimentos inferiores constituam o *dolce far niente* dos seus frequentadores.

O médium, para benefício de si mesmo e da obra, deve escolher ambientes onde as suas forças morais se consolidem e os propósitos superiores lhe sejam estímulo ao estudo e ao trabalho com Jesus.

Conhecemos companheiros com apreciáveis qualidades de abnegação e boa vontade que, tentando ajudar em determinados ambientes, passaram a ser vítimas de entidades cruéis, das quais, para se desvencilharem, muito esforço e muita oração foram necessários.

Guardando no coração a fragilidade que constitui, ainda, o nosso apanágio, foram terrivelmente envolvidos pelas forças viciadas, em cujos domínios quiseram penetrar.

Somente os vanguardeiros valorosos, que já se fizeram portadores de valiosas aquisições espirituais, devem comparecer à retaguarda, onde hostes tenebrosas implantam o seu reinado de sombra.

Em primeiro lugar, a autopreparação pelo trabalho comum e pela renovação.

Em segundo, os grandes encargos que pedem experiência e fortaleza.

Consoante acentuamos no início deste capítulo, há milhares de criaturas prisioneiras dessas entidades.

São os fumantes e bebedores impenitentes que se entregam, desordenadamente, ao vício.

São os que se entregam a condenáveis excessos em qualquer setor da atividade humana.

Os que bebem passam a ser, na oportuna definição de um nosso confrade, "canecos de Espíritos".

Os que fumam passam a ser, naturalmente, alimentadores de entidades infelizes que se comprazem, jubilosas, em sorver-lhes "as baforadas de fumo arremessadas ao ar, ainda aquecidas pelo calor dos pulmões".

E assim permanecem até que um dia, fustigados pela dor, dominados pela exaustão e vencidos pela monotonia de uma existência tristemente vegetativa, despertam para um tipo de vida mais consentânea com a dignidade da pessoa humana.

A Misericórdia divina funciona, desde o princípio, junto a todas as criaturas.

"Chegará o dia em que a própria natureza lhes esvaziará o cálice."

"Há mil processos de reajuste."

Para melhor compreensão do estudo, segundo a diretiva que traçamos para este trabalho, organizamos o gráfico seguinte, no qual apresentamos modestos apontamentos relativos ao modo pelo qual a criatura será compelida, mais cedo ou mais tarde, ao necessário reajuste:

PROCESSOS DE REAJUSTE
- Coercitivos
  - Cansaço
  - Aflições
  - Sofrimento
  - Cárcere
- Espontâneos
  - Boa vontade
  - Acanhamento
  - Esforço
- Expiatórios
  - Síndrome de Down
  - Paralisia
  - Hidrocefalia
  - Cegueira
  - Idiotismo

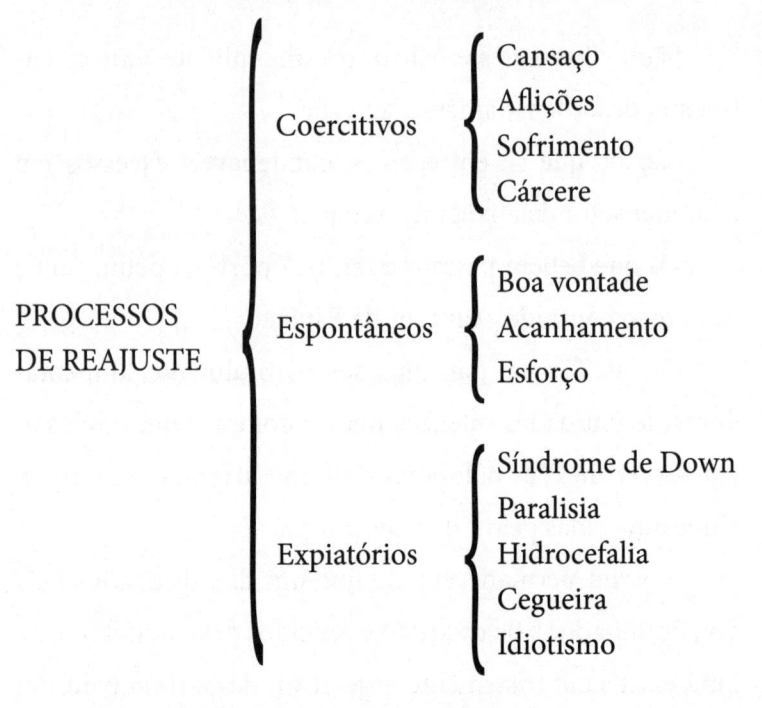

Em certos casos, nos processos que denominamos de "coercitivos", a própria criatura se cansará, um dia, da monotonia de uma vida superficial, para não dizer de uma vida futilizada.

Como decorrência do reconhecimento da inutilidade do sistema de vida, sobrevirão, fatalmente, o esgotamento e o cansaço.

O homem despertará, então, ante a realidade de sua destinação superior, dentro da Eternidade.

Essa destinação falar-lhe-á, em silêncio, no altar da própria consciência, do imperativo de valorização do tempo que o Senhor da Vida lhe concedeu, com a atual experiência reencarnatória. Então, sob o amparo de abnegados servidores do Cristo, iniciará, esperançoso, o trabalho de autorrenovação...

De modo geral, entretanto, as aflições e sofrimentos são sempre os grandes amigos da criatura fútil ou desviada.

As grandes provas, as lutas acerbas, em que colhemos aquilo que semeamos, funcionam, testemunhando a harmonia da Lei divina, à maneira de abençoadas trombetas concitando-nos à grande batalha contra nós mesmos, a fim de vencermos os inimigos que pelejam contra o nosso coração, querendo perturbar a marcha ascensional do Espírito eterno.

À guisa de exemplificação, sugerimos a leitura do capítulo "Proteção educativa", do livro *Pontos e contos*, de Irmão X.

Quantas vezes, também, entre as grades de uma prisão, almas empedernidas se reajustam devidamente, retornando depois à sociedade, de onde foram banidas, agora, entretanto, na condição de elementos regenerados e úteis!

Como vemos, diversos e variegados são os fatores psicológicos que cooperam nos serviços de reajuste espiritual, libertando milhares de criaturas da nefasta influenciação de Espíritos menos esclarecidos.

Referindo-nos aos processos *coercitivos*, catalogamos, em síntese, o cansaço e o sofrimento, a aflição e o cárcere.

Entre os espontâneos, lembramos a boa vontade, a vergonha e o esforço do próprio indivíduo.

Algumas vezes o sentimento de dignidade dirige-se à consciência do homem transviado, compelindo-o à compostura e ao reajuste.

Entre os processos *expiatórios*, mencionamos as reencarnações dolorosas, expressando-se por vários tipos de enfermidades, todas elas inibitórias da plena manifestação da inteligência.

Sugerimos, como exemplo, profundamente elucidativo, a leitura, ainda, no livro *Pontos e contos*, do capítulo "Grande cabeça".

A síndrome de Down, a paralisia, a hidrocefalia, a cegueira e o idiotismo são formas compulsórias de reajustes expiatórios.

Criaturas que abusaram da relativa liberdade que o Senhor da Vida lhes concedeu, voltam, depois, ao vaso físico, pela reencarnação, em situações realmente dolorosas, a fim de que, no capítulo do sofrimento, aprendam a valorizar o tesouro da vida...

21
SERVINDO AO MAL

Em mesa lautamente provida com fino conhaque, um rapaz, fumando com volúpia e sob o domínio de uma entidade digna de compaixão pelo aspecto repelente em que se mostrava, escrevia, escrevia, escrevia...
— Estudemos — recomendou o orientador.
O cérebro do moço embebia-se em substância escura e pastosa que escorria das mãos do triste companheiro que o enlaçava.
Via-se-lhes a absoluta associação, na autoria dos caracteres escritos.
A dupla em trabalho não nos registrou a presença.
— Neste instante — anunciou Áulus, atencioso —, nosso irmão desconhecido é hábil médium psicógrafo. Tem as células do pensamento integralmente controladas pelo infeliz cultivador de crueldade sob a nossa vista. Imanta-se-lhe à imaginação e lhe assimila as ideias, atendendo-lhe aos propósitos escusos, por meio dos princípios da indução magnética, de vez que o rapaz, desejando produzir páginas escabrosas, encontrou quem lhe fortaleça a mente e o ajude nesse mister.

Essa transcrição é feita do capítulo "Forças viciadas" e nos põe em relação com um jornalista amante do escândalo e das reportagens degradantes.

Tal jornalista não passa de um médium sem consciência da sua faculdade.

Inclinado para os assuntos sensacionalistas, alicia companheiros desencarnados afins que lhe correspondem aos propósitos escabrosos.

No caso em tela, é instrumento de um escândalo que envolverá a pessoa de uma jovem num crime, "a cuja margem aparece (a moça) aliada às múltiplas causas em que se formou o deplorável acontecimento".

O rapaz observado, "amigo de operoso lidador da imprensa, é de si mesmo dado à malícia".

Tendo sido solicitado a colaborar com o seu amigo, encontrou "o concurso de ferrenho e viciado perseguidor da menina em foco, interessado em exagerar-lhe a participação na ocorrência, com o fim de martelar-lhe a mente apreensiva e arrojá-la aos abusos da mocidade"...

Eis-nos ante um caso de obsessão que se reveste de impressionante sutileza.

A moça tem um perseguidor desencarnado desejoso de arrastá-la à vergonha.

Utiliza-se de um jornalista invigilante e malicioso, a fim de, aproveitando-lhe as lastimáveis qualidades do caráter, contribuir, ocultamente, para que uma reportagem a ser levada ao jornal exponha o nome da jovem ao escárnio público.

A sutileza do perseguidor justifica um comentário à parte.

Tem ele um "programa" traçado, visando, inicialmente, a desmoralizá-la.

Conseguido o objetivo, convertê-la-á num instrumento apassivado, após o que completará a sua vingança, vampirizando-a impiedosamente.

O assédio se faz, portanto, de modo indireto, revelando, assim, novas e perigosas facetas do problema obsessional.

De acordo com o plano elaborado na sombra, espera ele conseguir pleno êxito em sua triste tarefa.

Com base nessa ocorrência, dividiremos em quatro fases o pernicioso esforço da entidade nesse estranho e cruel processo de obsessão:

1ª — Assédio indireto, utilizando uma terceira pessoa dotada de maus sentimentos.
2ª — O aproveitamento do escândalo para:
   a) perturbar-lhe a mente;
   b) deprimir-lhe o moral;
   c) amolecer-lhe o caráter.
3ª — Domínio psicofísico.
4ª — Concretização da vingança (vampirização).

Almas endividadas que somos, a nossa paz está sempre ameaçada ante os compromissos do pretérito, os quais, invariavelmente, vinculam a nossa alma àqueles com quem partilhamos experiências menos dignas.

O aperfeiçoamento espiritual constitui, portanto, impositivo relacionado com o problema da nossa felicidade.

A elevação da mente, pelo cultivo dos sentimentos enobrecedores, afigura-se-nos, por isso, realização das mais urgentes se desejamos, efetivamente, reajustar o Espírito faltoso.

Da atitude mental da jovem dependerá, sem dúvida, o êxito ou o fracasso do perseguidor que age, lúcida e conscientemente, sobre o cérebro do jornalista portador de lastimável indigência moral.

"O cérebro do moço embebia-se em substância escura e pastosa que escorria das mãos do triste companheiro que o enlaçava."

A posição da jovem é de perigo.

> Assim, pois, caso não delibere (a moça) guerrear a influência destrutiva, demorar-se-á por muito tempo nas perturbações a que já se encontra ligada em princípio.
> — Tudo isso por quê?

A indagação de Hilário foi atendida por Áulus:

> Indiscutivelmente, a jovem e o infeliz que a persegue estão unidos um ao outro, desde muito tempo... Terão estado juntos nas regiões inferiores da vida espiritual, antes da reencarnação com que a menina presentemente vem sendo beneficiada. Reencontrando-a na experiência física, de cujas vantagens ainda não partilha, o desventurado tenta incliná-la, de novo, à desordem emotiva, com o objetivo de explorá-la em atuação vampirizante.

Tais observações levam-nos ao encontro da assertiva de Kardec, de que todas as criaturas são médiuns.

O jornalista é um médium.

É um médium porque transpõe para o papel, em forma de reportagem, simultaneamente com as suas próprias ideias, os planos de vingança do obsessor.

É como explica o assistente Áulus:

> Faculdades medianímicas e cooperação do mundo espiritual surgem por toda a parte.
> Onde há pensamento, há correntes mentais e, onde há correntes mentais, existe associação.
> E toda associação é interdependência e influenciação recíproca.
> Daí concluirmos quanto à necessidade de vida nobre, a fim de atrairmos pensamentos que nos enobreçam.

Dispomos, exuberantemente, de meios para associar a nossa mente com as forças superiores, livrando-nos, assim, do assédio das entidades ignorantes.

Esses meios são, entre outros, os seguintes:

a) Bondade com todos.
b) Consciência reta.
c) Estudo e trabalho.
d) Compreensão e tolerância.
e) Oração sincera e serviço aos semelhantes.

Ante a tempestade de provações que a nossa alma invigilante promoveu no passado, Jesus oferece-nos, hoje, o abrigo seguro do dever bem cumprido, na pauta de nossos compromissos...

22
Servindo ao bem

No capítulo anterior tivemos oportunidade de examinar um doloroso caso de associação mental inferior, no qual um jornalista se identifica com entidade interessada na expansão do mal.

Examinemos agora, embora ligeiramente, um caso de associação mental superior.

A nova personagem é um médico que, assistido por Espírito elevado, se consagra, anonimamente, às atividades do bem, talvez como modesto servidor de uma instituição pública.

Do exame deste e do outro episódio, concluiremos, como não podia deixar de ser, que está em nossa exclusiva dependência a escolha das companhias espirituais.

Somos nós, exclusivamente, que escolhemos os companheiros desencarnados para o convívio diuturno.

Assim como no plano físico, na vida social, elegemos para nossos companheiros pessoas dignas ou indignas, honestas ou não, essa mesma lei de livre escolha e de *afinidade eletiva* comanda as nossas relações com os amigos espirituais.

Acompanhamos, de início, um jornalista num ambiente sórdido, identificado e associado a perigosa entidade que lhe dirige a mente desequilibrada.

Vejamos agora o lado oposto.

> Retomamos a via pública.
> Mal recomeçávamos a avançar, quando passou por nós uma ambulância, em marcha vagarosa, sirenando forte para abrir caminho.
> À frente, ao lado do condutor, sentava-se um homem de cabelos grisalhos a lhe emoldurarem a fisionomia simpática e preocupada. Junto dele, porém, abraçando-o com naturalidade e doçura, uma entidade em roupagem lirial lhe envolvia a cabeça em suaves e calmantes irradiações de prateada luz.

Recapitulemos, intencionalmente, a maneira pela qual André Luiz descreve o Espírito que acompanha e assessora o jornalista:

"...sob o domínio de uma entidade digna de compaixão pelo aspecto repelente em que se mostrava...".

Vejamos agora a descrição do acompanhante da nova personagem:

"...uma entidade em roupagem lirial lhe envolvia a cabeça em suaves e calmantes irradiações de prateada luz".

O contraste é, infelizmente, chocante e doloroso; entretanto, necessita ser feito.

O paralelo se impõe a fim de que consolidemos o conceito de autorresponsabilidade.

É imprescindível seja ressaltado, a fim de que nos compenetremos de que nós mesmos é que determinamos o tipo de nossas companhias espirituais, a seguir-nos os passos, a controlar-nos os movimentos e a identificar-se com a nossa vida cotidiana.

Passemos, contudo, adiante.

— Oh! — inquiriu Hilário, curioso — quem será aquele homem tão bem acompanhado?
Áulus sorriu e esclareceu:
— Nem tudo é energia viciada no caminho comum. Deve ser um médico em alguma tarefa salvacionista.

Temos aí o testemunho por demais eloquente de que, onde estiver um coração inclinado ao bem, estará presente, também, a proteção divina.

O médico caridoso, que exerce a Medicina como legítimo sacerdócio, fará sempre jus ao amparo dos mensageiros do Senhor.

Pertença a este ou àquele credo religioso, seja, inclusive, ateu, se for caridoso fará sempre jus à assistência de almas sublimadas, no cumprimento de sua missão de curar.

Entre as mais belas "profissões", a de médico se evidencia pelo elevado sentido de humanidade que lhe caracteriza a ação benfazeja.

A Medicina que, em nossos tempos, ainda se limita, de maneira quase que exclusiva, à cura do corpo, é tão sublime em seus objetivos, que o termo "profissão" não se lhe ajusta perfeitamente.

Devia existir um outro vocábulo que designasse o exercício da Medicina, e outro, ainda, para o magistério.

Curar e ensinar são atividades que se não podem conter nas pobres limitações do nosso conceito de "profissão".

Jesus Cristo, o mais sábio dos professores que o mundo já conheceu e o mais compassivo dos médicos que a humanidade já viu, desde o princípio, permanece como divina sugestão àqueles que, no jornadear terrestre, ocupam a cátedra ou consagram a vida ao santo labor dos hospitais.

A humanidade, entretanto, no atual estágio evolutivo, encontra-se, ainda, em fase a que chamaríamos "noivado" ou simples "namoro" com os problemas fundamentais do Espírito.

Sentimos-lhes a grandeza e a excelsitude e divisamos-lhes as perspectivas sublimes e consoladoras; todavia, mantemo-nos irredutíveis no velho consórcio com as conveniências e concepções predominantes do mundo materialista e materializante em que vivemos.

Os nossos enganos multimilenários dificultam-nos a ascensão à Espiritualidade maior.

É como dizem os amigos espirituais: contra os nossos pálidos anseios de elevação, há milênios de sombra...

Quando o preconceito e o formalismo se forem diluindo ao sol de novas revelações, a Medicina estenderá o seu abençoado campo de ação até os limites do Espírito, penetrando-lhe o maravilhoso mundo.

Nesse dia, então, as suas fronteiras de luz se abrirão, de par em par, para as núpcias da Ciência e da fé, do sentimento e da razão...

Os médicos verão no enfermo não somente o cliente mais ou menos aquinhoado de recursos, que busca antibióticos ou reagentes orgânicos, mas, especialmente, o companheiro carecente de bom ânimo e coragem, de compreensão e esclarecimento, de paciência e amor...

As forças espirituais sublimadas, envolvidas em "lirial roupagem", acomodar-se-ão na "casa mental" dos médicos cristãos, inspirando-os nos diagnósticos e no receituário e conduzindo-lhes as mãos fraternas nos grandes e arrojados lances da cirurgia.

Cada médico que começar a sentir no enfermo, pobre ou rico, feio ou bonito, homem ou mulher, preto ou branco, um irmão credor do seu amparo desinteressado, estará, sem dúvida, realizando os primeiros ensaios no sentido de fazer jus ao título de "médico cristão".

Curando e esclarecendo será, então, um "médium de abençoados valores humanos, mormente no socorro aos enfermos, no qual incorpora as correntes mentais dos gênios do bem, consagrados ao amor fraterno pelos sofredores da Terra"...

23
Lei do progresso

Sem a preocupação de descermos a pormenores, faremos neste capítulo uma síntese da escala evolucional dos Espíritos.

Com este objetivo, organizamos o seguinte gráfico:

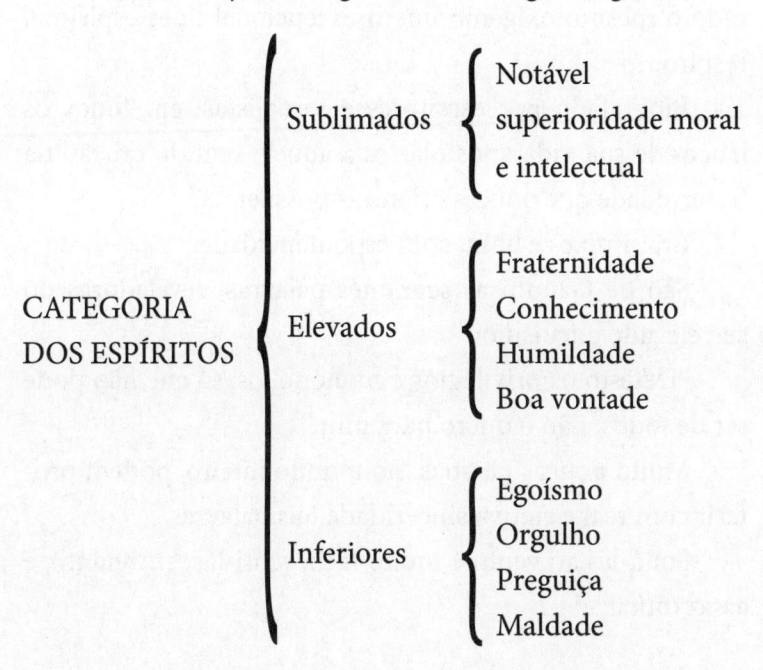

CATEGORIA DOS ESPÍRITOS
- Sublimados
  - Notável superioridade moral e intelectual
- Elevados
  - Fraternidade
  - Conhecimento
  - Humildade
  - Boa vontade
- Inferiores
  - Egoísmo
  - Orgulho
  - Preguiça
  - Maldade

Espíritos *sublimados* serão aqueles que se revelam possuidores de notável superioridade moral e intelectual, denotando plenitude espiritual, harmonia com a Lei.

Encarnados ou não, transitam pelos caminhos do mundo à maneira dos sóis que refulgem nos planos siderais.

São muito raros e irradiam bondade e compreensão, sabedoria e amor, revelando-se capazes dos maiores sacrifícios em benefício da felicidade alheia.

Serão, evidentemente, os poucos missionários cuja vida apostolar se destaca da vulgaridade terrestre.

Recentemente o mundo conheceu um desses sublimados Espíritos na pessoa de Mahatma Gandhi, cujo extremado amor à humanidade foi algo de extraordinário e sublime.

A nossa geração deve sentir-se honrada em ter respirado o mesmo oxigênio que o excepcional líder espiritual respirou.

Biografado por escritores e jornalistas, em todos os lances de sua vida apostolar está aquele sentido cristão da fraternidade que poucas criaturas possuem.

Era simples e bom, com espontaneidade.

São de Gandhi as seguintes palavras, reveladoras do seu elevado altruísmo:

"Detesto os privilégios e monopólios. O que não pode ser de todos, não o quero para mim".

Muito poucas pessoas, no mundo inteiro, podem proferir com real e efetiva sinceridade tais palavras.

Soltá-las ao vento é muito fácil; senti-las, entretanto, é assaz difícil.

Se Gandhi assim falou, assim viveu e assim morreu.

Haja vista o misérrimo patrimônio material que legou aos familiares ao cair morto ante as balas de Nathuram Vigny Godse: uma caneta-tinteiro, um relógio de pulso e a paciente cabra que lhe fornecia o leite indispensável à alimentação.

Ao lado, entretanto, de tão irrisório patrimônio deixou o Mahatma Gandhi o mais rico e extraordinário exemplo de como se deve conduzir o cristão, no sentido mais amplo que essa palavra possa ter, a indicar à humanidade os iluminados rumos da fraternidade.

Cristo, pedra angular da civilização do porvir, teve em Gandhi um grande discípulo, exemplificador de sua Doutrina.

De outra vez dissera:

"Minha alma não terá paz enquanto for testemunha impotente duma só injustiça ou duma só miséria".

O extraordinário chefe espiritual da Índia porfiou, incessantemente, para que milhões de compatriotas seus tivessem um pouco de felicidade.

Dava de si, antes de pensar em si mesmo.

Lutou sempre para que todos os desgraçados tivessem direito a um lugar ao sol.

Referindo-se às suas futuras reencarnações (Gandhi acreditava nas vidas sucessivas), afirmou:

"Não desejo voltar a esta vida; mas, se tiver de renascer, peço a Deus que me faça um pária. Que possa compartilhar de seus sofrimentos e humilhações, e que me seja dado libertar-me a mim e a eles de tão miserável condição".

De Gandhi disse Einstein, outro sublimado Espírito que vem de retornar, também, à pátria sideral:

"Dificilmente as gerações do futuro acreditarão que passou pelo mundo, em carne e osso, um homem como Gandhi".

Espírito sublimado será todo aquele que superar as limitações humanas.

Aquele que, harmonizando-se com a Lei, adquirir a plenitude espiritual.

O Espírito sublimado irradiará sempre, em todas as circunstâncias, sabedoria e misericórdia.

Gandhi pode, sem dúvida, figurar entre os raros Espíritos que têm palmilhado, sublimadamente, as estradas da Terra.

ESPÍRITOS ELEVADOS

Classificamos como *elevados* os que, encarnados ou desencarnados, revelam noções de fraternidade, conhecimento, humildade e boa vontade.

São os Espíritos cujos bons sentimentos predominam sobre os maus sentimentos.

São Espíritos ou pessoas nos quais são mais frequentes ações elevadas do que as inferiores.

Trabalham e servem, no apostolado cristão, todavia ainda são passíveis de queda.

Em fase de aprendizado edificante, retornarão à Terra, "em cujo seio se corporificarão, de novo, no futuro, por meio do instituto universal da reencarnação, para o desempenho de preciosas tarefas".

"Não podemos exigir deles qualidades que somente transparecem dos Espíritos que já atingiram a sublimação absoluta", pois, conforme acentua Áulus, "guardam ainda consigo probabilidades naturais de desacerto".

Reingressando no vaso físico, sofrer-lhe-ão as limitações e "podem ser vítimas de equívocos".

Tal observação, considerando o objetivo deste livro, leva-nos a meditar sobre o erro em que incidem muitos companheiros do nosso movimento ao pretenderem, infantilmente, atribuir aos Instrutores Espirituais pleno conhecimento de todos os assuntos.

Os Espíritos são, simplesmente, criaturas humanas desencarnadas.

Se dotados de senso de responsabilidade, falarão apenas sobre aquilo que se encontra na órbita dos seus próprios conhecimentos.

Não peçamos, pois, aos instrutores aquilo que eles não nos podem dar.

ESPÍRITOS INFERIORES

Temos, por fim, os Espíritos que, somente para efeito de estudo, foram classificados como *inferiores*.

Considerando a nossa posição espiritual também deficitária, o termo mais próprio será "Espíritos menos esclarecidos", vinculados ainda às paixões do mundo.

Neles a predominância, em toda a linha, é dos sentimentos inconfessáveis.

Excepcionalmente praticam uma boa atitude, como que a significar que, centelha divina, os princípios superiores imanentes aguardam o concurso do tempo.

Não será o tempo mitológico, que destrói e arruína, mas o tempo que proporciona ensejo a que o Espírito humano se edifique e alcance, vitorioso, os altiplanos da perfeição.

Os Espíritos inferiores se revelam pelo egoísmo, pela ignorância, pelo orgulho, pela preguiça e pela intemperança, em qualquer dos seus aspectos.

São companheiros que necessitam do amparo dos mais esclarecidos.

Não devemos esquecer que os atuais Espíritos elevados ou sublimados já passaram igualmente por esse mesmo estágio evolutivo de inferioridade.

Gandhi e Einstein, Francisco de Assis e Sócrates foram, também, na recuada noite dos milênios, criaturas ignorantes.

Sob o impulso inelutável do progresso, lei que abrange todos os seres, acumularam expressivas energias no misterioso mundo de suas individualidades eternas, para se erguerem, afinal, como verdadeiras estátuas de luz.

Os Espíritos inferiores de hoje precisam, pois, do braço amigo dos vanguardeiros do bem, a fim de que sejam, amanhã, almas redimidas e sublimadas.

O criminoso de ontem é o santo de hoje.

O celerado de hoje será, amanhã, abençoado anjo.

Se em nossos trabalhos mediúnicos recebemos com alegria a visitação dos Espíritos elevados, não deve ser menor o nosso júbilo quando baterem à porta dos agrupamentos mediúnicos, por meio de incorporação turbulenta ou dolorosa, irmãos que ainda perambulam nas regiões de sombra e aflição.

A ironia e o menosprezo não podem nem devem fazer parte do programa assistencial mediúnico.

Maltratar ou ironizar um Espírito sofredor ou endurecido é tão condenável e antifraterno quanto recusarmos, em nossa porta, o pedaço de pão ao faminto ou o copo de água ao sedento.

O serviço mediúnico é, a nosso ver, sementeira de esclarecimento.

Os atormentados de todos os matizes devem encontrar, nas tarefas mediúnicas, em toda a sua plenitude, a consoladora promessa de Jesus.

"Vinde a mim, ó vós que vos achais aflitos e sobrecarregados, eu vos aliviarei." (MATEUS, 11:28.)

24
Mandato mediúnico

O exercício comum da mediunidade, mesmo nos serviços assistenciais, é coisa diferente do "mandato de serviços mediúnicos".

Médiuns existem aos milhares colaborando, ativamente, nos centros espíritas; todavia, raríssimos estão investidos de mandato.

Somente depois de longas experiências, cultivando a renúncia e o sacrifício, sofrendo a ingratidão e conhecendo a dor, pode o Espírito reencarnar e exercer, entre os companheiros da Terra, tão extraordinário encargo.

Assim como no plano terrestre a outorga de procurações atende, em princípio e substancialmente, aos fatores "mérito", "confiança" e "competência", é plenamente compreensível que, em se tratando de assuntos divinos, idêntico seja o critério de merecimento.

Quem deseja defender, com êxito uma causa na justiça comum, inegavelmente concede poderes de representação a respeitável cultor do Direito, capacitado a desincumbir-se da missão com brilhantismo e galhardia.

Naturalmente, os interesses humanos podem ser confiados, eventualmente, a procuradores menos brilhantes, nas causas de somenos importância.

Todavia, nos grandes empreendimentos a outorga plena e irrestrita, é concedida àqueles que, por uma vida exemplar e um longo tirocínio, não decepcionem o outorgante.

Analisando o problema do mediunismo, identificaremos Jesus Cristo como o divino Outorgante, e os médiuns como os outorgados de seu poder, capazes de o representarem com fidelidade até o fim.

Entretanto, para que o médium se torne digno de um mandato, nas especialíssimas condições do capítulo assim denominado no livro que serve de base a este capítulo "Mandato mediúnico", tem de ser portador de virtudes excepcionais, a fim de que não fracasse no tentame extraordinário.

O médium pode ser equilibrado, ter boa conduta e boa moral; contudo, será apenas "um médium", na acepção comum, se não incorpora à sua individualidade valores conquistáveis ao preço de perseverantes sacrifícios, por meio dos séculos ou dos milênios sem conta.

Mandato mediúnico — porto de chegada de todos os obreiros da seara mediúnica — exige condições especialíssimas, tais como:

a) Bondade,
b) Discrição,

c) Discernimento,
d) Perseverança,
e) Sacrifício.

Eis, em síntese, as qualidades que asseguram ao médium o sublime direito de receber um mandato mediúnico!

O médium cristão ajuda todos com a mesma solicitude, sejam ricos ou pobres.

Bondade, para quê?

Para atender, com o mesmo carinho e a mesma boa vontade, todos os tipos de necessitados, sem qualquer expressão de particularismo.

O médium comum atenderá segundo as próprias conveniências, inclusive afetivas, distinguindo Fulano de Beltrano.

Sem dúvida é um trabalhador que faz o que pode, todavia serve, ainda, dentro de um estreitismo e de certas restrições que colidem, frontalmente, com a beleza e a expansibilidade, a excelsitude e o universalismo do pensamento e da obra de Nosso Senhor Jesus Cristo.

O médium investido de mandato é bondoso com todos.

Para ele são iguais o rico e o pobre, o feio e o bonito, o negro e o branco, o mendigo e o aristocrata, o moço e o velho, o homem e a mulher.

A discrição é um dos belos atributos do mandato mediúnico.

Discrição para conhecer e sentir, guardando-os para si, dramas inconfessáveis e lacunas morais lastimáveis.

O médium, de acordo com as suas possibilidades psíquicas, pode, com a simples aproximação do irmão que o procura, identificar-se com problemas íntimos, desde as deficiências morais à responsabilidade por delitos ocultos.

A discrição do médium resguarda o visitante da humilhante posição de quem vê descobertas as mazelas que olhos comuns não percebem.

Médium palrador seria igual a padre indiscreto, se um e outro existissem.

Em vez do sacerdócio da compreensão, a tirania da maledicência.

No lugar do silêncio, o comentário leviano.

Outra qualidade que caracteriza o mandatário da Espiritualidade superior é o discernimento.

Discernimento, por que e para quê?

Para examinar sensatamente as coisas, os problemas e as situações e dar-lhes a melhor, mais oportuna e mais sábia solução.

O médium tem de lutar, portanto, mediante o estudo, o trabalho e o esforço constante de autoevangelização, para adquirir a faculdade do discernimento, a fim de "ajudar os outros para que os outros se ajudem", corrigindo, assim, a preguiça e a revolta, a vaidade e o comodismo, a leviandade e a má-fé.

Quando, da assistência do médium ao doente A, não resulta o seu despertar para a senda da luz, o esforço foi incompleto.

Curar e educar devem coexistir no serviço assistencial.

Tendo discernimento capaz de opinar com segurança, segundo as necessidades do consulente, o médium indu-lo a reajustar-se e a caminhar com os próprios pés, isso depois de colocar-lhe na ferida do coração o bálsamo do reconforto.

Eis a função do discernimento entre as outras elevadas qualidades exigíveis para o mandato de serviço mediúnico.

"Saber ajudar os outros para que os outros se ajudem."

A perseverança é o quarto atributo indispensável ao mandato, para que o trabalhador não abandone a tarefa ante os primeiros obstáculos.

Inúmeros médiuns, portadores de apreciáveis faculdades, têm-se afastado do serviço em virtude de incompreensão, inclusive dos próprios companheiros de ideal.

Quando os pés começam a sentir a agudez dos espinhos espalhados na estrada, desertam da luta.

A esses companheiros seria lícito perguntar se é possível colaborar, sem obstáculos nem problemas, na causa daquele cuja glória, no mundo, foi a coroa de aflição que os homens colocaram em sua fronte augusta...

A perseverança é fruto da fé e do despersonalismo.

Aquele que coopera nos serviços mediúnicos, com a preocupação de agradar aos outros e de ver satisfeitos os seus caprichos, pode vir a abandonar a tarefa.

Servir com Jesus e em nome dele é dilatar os próprios recursos e perpetuar, no Espaço e no tempo, o ideal de ajudar a todos.

Examinemos, finalmente, o problema do sacrifício.

O médium que não é capaz de esquecer o próprio bem-estar, em benefício dos outros, está distanciado do mandato superior.

É, indubitavelmente, um companheiro de boa vontade, a quem devemos todo o respeito e incentivo, mas que pensa muito no próprio "eu", velho fantasma do qual ainda não nos conseguimos libertar inteiramente.

O médium que possui espírito de sacrifício é como o médico que faz da Medicina um sacerdócio: nunca exige a "carteira de identidade" de quem lhe bate à porta.

O seu ideal é servir, socorrer e curar.

Pelo exposto, conclui-se que poucas criaturas existem investidas do mandato de serviço mediúnico, embora milhares estejam colaborando, corajosamente, na obra do bem.

Bondade, discrição, discernimento, perseverança e sacrifício são, pois, virtudes que o médium deve esforçar-se por adquirir, pouco a pouco, sem violências nem precipitações.

O exercício de tais qualidades abreviará o dia em que os instrutores espirituais lhe identificarão a reforma.

Falamos, até esta altura, dos deveres daqueles que recebem mandato mediúnico.

E os direitos?

E as compensações, segundo o princípio de que "é dando que se recebe"?

E as garantias que acompanham o médium assim categorizado?

Vamos dar a palavra a André Luiz:

> Ambrosina trazia o semblante quebrantado e rugado, refletindo, contudo, a paz que lhe vibrava no ser.
> Na cabeça, dentre os cabelos grisalhos, salientava-se pequeno funil de luz, à maneira de delicado adorno.
> Intrigados, consultamos a experiência de nosso orientador e o esclarecimento não se fez esperar:
> — É um aparelho magnético ultrassensível com que a médium vive em constante contato com o responsável pela obra espiritual

que por ela se realiza. Pelo tempo de atividade na causa do bem e pelos sacrifícios a que se consagrou, Ambrosina recebeu do plano superior um mandato de serviço mediúnico, merecendo, por isso, a responsabilidade de mais íntima associação com o Instrutor que lhe preside as tarefas.

E, mais adiante, na palavra do assistente Áulus:

> Um mandato mediúnico reclama ordem, segurança, eficiência. Uma delegação de autoridade humana envolve concessão de recursos da parte de quem a outorga. Não se pedirá cooperação sistemática do médium, sem oferecer-lhe as necessárias garantias.

Conforme observamos, a criatura investida do mandato mediúnico tem sólidas garantias para o triunfo completo de sua missão, a começar pela assistência, direta e permanente, do responsável pela obra de cuja realização na Terra foi incumbido.

Nos momentos difíceis — eis o instrutor que se apresenta para esclarecê-lo, defendê-lo, inspirá-lo!

Nas horas amargas — eis o instrutor, com a palavra sábia e amiga, a levantar-lhe o ânimo, a reconfortar-lhe o coração setado pela incompreensão e pela calúnia, pela injúria e pela má-fé!

Para que o médium de hoje, seja, amanhã, portador de mandato mediúnico, necessário se faz que o Evangelho seja o seu roteiro e Jesus Cristo a sua meta.

Com Jesus no coração, o médium ajuda os outros e se ajuda no grande e fundamental problema da renovação íntima.

Enriquecendo a própria alma com a bondade, a discrição, o discernimento, a perseverança e o espírito de sacrifício, será, no trabalho, um servidor idealista e desinteressado.

Receberá o mandato de serviço mediúnico...

25
Proteção aos médiuns

O capítulo "Mandato mediúnico" dá-nos margem para verificarmos a extensão do auxílio dispensado ao médium investido em tal encargo.

Mesmo nos ambientes heterogêneos, onde os pensamentos inadequados poderiam influenciá-lo, levando-o a equívocos, a proteção se faz de modo eficiente e sumamente confortador.

Além do seu próprio equilíbrio — autodefesa — decorrente das virtudes que exornam a sua pessoa, tais como as referidas anteriormente e consideradas essenciais ao mandato mediúnico, trabalha o médium dentro de uma faixa magnética que o liga ao responsável pela obra de que está incumbido, segundo verificamos nas palavras a seguir transcritas, e no desenho organizado à guisa de ilustração:

> Entre dona Ambrosina e Gabriel destacava-se agora extensa faixa elástica de luz azulínea, e amigos espirituais, prestos na solidariedade, nela entravam e, um a um, tomavam o braço da medianeira, depois de lhe influenciarem os centros corticais, atendendo, tanto quanto possível, aos problemas ali expostos.

Estudando a mediunidade

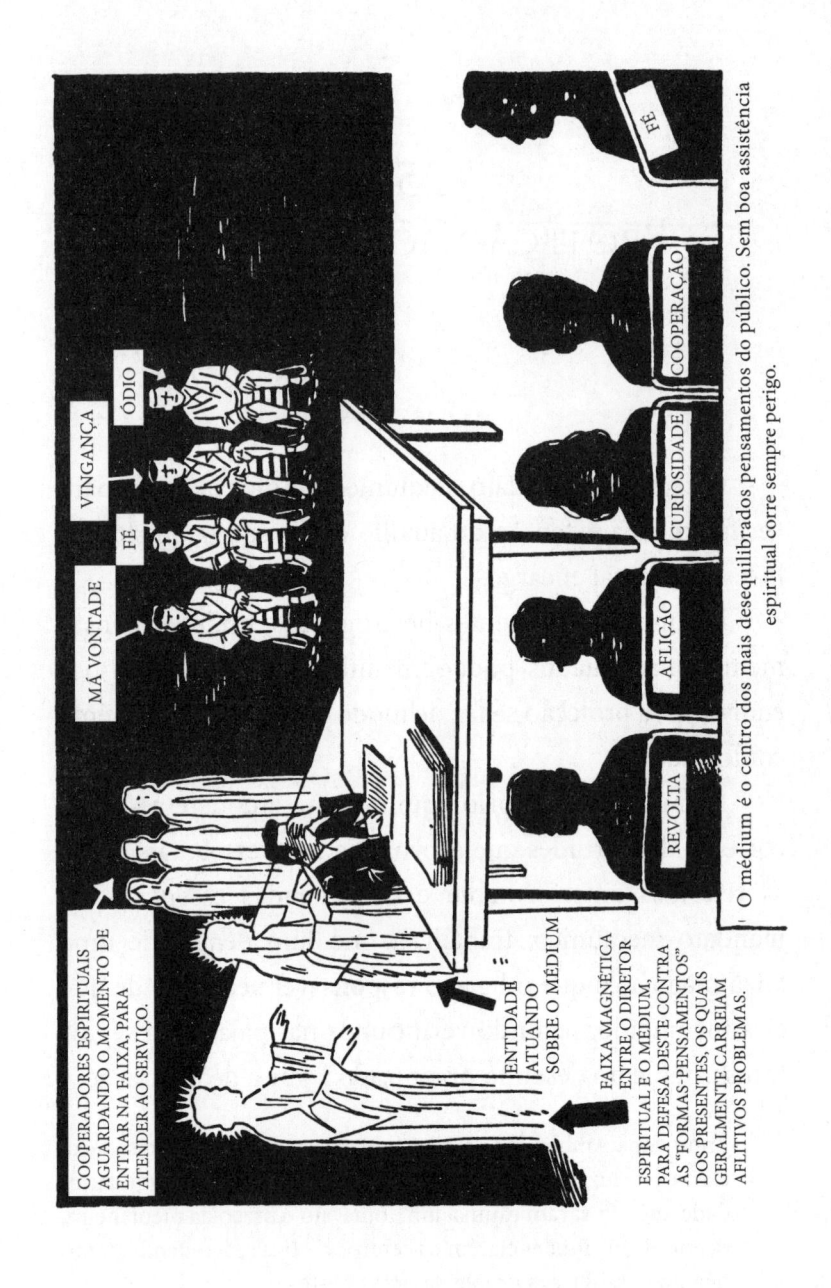

COOPERADORES ESPIRITUAIS AGUARDANDO O MOMENTO DE ENTRAR NA FAIXA, PARA ATENDER AO SERVIÇO.

MÁ VONTADE

FÉ

VINGANÇA

ÓDIO

ENTIDADE ATUANDO SOBRE O MÉDIUM

FAIXA MAGNÉTICA ENTRE O DIRETOR ESPIRITUAL E O MÉDIUM, PARA DEFESA DESTE CONTRA AS "FORMAS-PENSAMENTOS" DOS PRESENTES, OS QUAIS GERALMENTE CARREIAM AFLITIVOS PROBLEMAS.

REVOLTA · AFLIÇÃO · CURIOSIDADE · COOPERAÇÃO · FÉ

O médium é o centro dos mais desequilibrados pensamentos do público. Sem boa assistência espiritual corre sempre perigo.

Essa faixa de luz — partindo do irmão Gabriel e envolvendo, inteiramente, a médium — tem a finalidade de defendê-la contra a avalancha de formas-pensamentos dos encarnados e dos desencarnados menos esclarecidos, os quais, em sua generalidade, carreiam aflitivos problemas e dolorosas inquietudes.

Nenhuma interferência no receituário, graças a essa barreira magnética que a sua condição de médium no exercício do mandato e a magnitude da tarefa justificam plenamente.

"Ao que tem, mais lhe será dado" — afirmou o Mestre divino. (MATEUS, 25:29.)

Os pensamentos de má vontade, de vingança e revolta, bem assim os de curiosidade, não conseguem perturbar a tarefa do médium que, no espírito de sacrifício e no devotamento ao bem, se edificou em definitivo.

Bondade, discrição, discernimento, perseverança e sacrifício somam, na contabilidade do Céu, proteção e ajuda.

Dezenas e dezenas de pessoas aglomeravam-se, em derredor da mesa, exibindo atribulações e dificuldades.
Estranhas formas-pensamentos surgiam de grupo a grupo, denunciando-lhes a posição mental.
Aqui, dardos de preocupação, estiletes de amargura, nevoeiros de lágrimas... Acolá, obsessores enquistados no desânimo ou no desespero, entre agressivos propósitos de vingança, agravados pelo temor do desconhecido...
Desencarnados em grande número suspiravam pelo Céu, enquanto outros receavam o inferno, desajustados pela falsa educação religiosa recolhida no plano terrestre.

Trabalhar, mediunicamente, ante um quadro dessa natureza, requer segurança e ordem, equilíbrio e elevação.

Imaginemos o médium negligente na execução de suas tarefas, impontual, descuidado e sem fé, num ambiente espiritual desse tipo, como ponto de convergência de todos os desequilíbrios e de todas as solicitações!...

Quanta interferência a influenciar-lhe os centros de força, a bombardear-lhe a "casa mental", determinando, no receituário ou na psicografia, contristadora simbiose de vibrações desordenadas a confundir alguns, a abalar a fé de outros e a perturbar aqueles que, apesar de espíritas, não estudam a Doutrina!

Estudar o Espiritismo, sentir o Evangelho na própria vida, ajudando, incessantemente, na obra do bem — eis os recursos de que dispõe o médium que deseja, efetiva e sinceramente, galgar com segurança os degraus da escada evolutiva.

26
Passes

O socorro, por meio de passes, aos que sofrem do corpo e da alma é instituição de alcance fraternal que remonta aos mais recuados tempos.

O Novo Testamento, para referir-nos apenas ao movimento evangélico, é valioso repositório de fatos nos quais Jesus e os apóstolos aparecem dispensando, pela imposição das mãos ou pelo influxo da palavra, recursos magnéticos curadores.

Nos tempos atuais tem cabido ao Espiritismo, na sua feição de Consolador Prometido, conservar e difundir largamente essa modalidade de socorro espiritual, embora as crônicas registrem semelhante atividade no seio da própria Igreja, por intermédio de virtuosos sacerdotes.

Os centros espíritas convertem-se, assim, numa espécie de refúgio para aqueles que não encontram na terapêutica da Terra o almejado lenitivo para os seus males físicos e mentais.

André Luiz não esqueceu de, no seu livro, preparar interessante capítulo, a que denominou "Serviço de passes", no qual se nos deparam oportunos e sábios esclarecimentos quanto à conduta do passista e daquele que procura beneficiar-se com o socorro magnético.

Neste capítulo, referir-nos-emos ao trabalho do médium passista, ou seja, aos requisitos indispensáveis aos que neste setor colaboram.

Existem dois tipos de passes, assim discriminados:

a) Passe ministrado com os recursos magnéticos do próprio médium;
b) Passe ministrado com recursos magnéticos hauridos, no momento, do plano divino.

Convém lembrarmos que, em qualquer dessas modalidades, o passe procede sempre de Deus.

Esta certeza deve contribuir para que o médium seja uma criatura humilde, cultivando sempre a ideia de que é um simples intermediário do supremo Poder, não lhe sendo lícito, portanto, atribuir a si mesmo qualquer mérito no trabalho.

Qualquer expressão de vaidade, além de constituir insensatez, significará começo de queda.

Além da humildade, deve o passista cultivar as seguintes qualidades:

a) Boa vontade e fé;
b) Prece e mente pura;
c) Elevação de sentimentos e amor.

"Àquele que mais tem, mais lhe será dado", afirmou Jesus.

Nas palavras do Senhor encontramos valioso estímulo a todos os continuadores de sua obra, inclusive aos que viriam depois, à conquista dos bens divinos, a se expressarem pela multiplicação dos recursos de ajudar e servir em seu nome.

As qualidades ora enumeradas constituem fatores positivos para o médium passista.

A prece, especialmente, representa elemento indispensável para que a alma do passista estabeleça comunhão direta com as forças do bem, favorecendo, assim, a canalização, por meio da mente, dos recursos magnéticos das esferas elevadas.

"A oração é prodigioso banho de forças, tal a vigorosa corrente mental que atrai."

Por ela, consegue o passista duas coisas importantes e que asseguram o êxito de sua tarefa:

a) Expulsar do próprio mundo interior os sombrios pensamentos remanescentes da atividade comum, durante o dia de lutas materiais.
b) Sorver do plano espiritual "as substâncias renovadoras" de que se repleta, "a fim de conseguir operar com eficiência, a favor do próximo".

Por intermédio dessa preparação em que "se limpa", para, limpo, melhor servir, consegue o médium, simultaneamente, ajudar e ser ajudado.

Receber e dar ao mesmo tempo.

Quanto mais se renova para o bem, quanto mais se moraliza e se engrandece, espiritualizando-se, maiores possibilidades de servir adquire o companheiro que serve ao Espiritismo Cristão no setor de passes.

A renovação mental é como se fosse um processo de desobstrução de um canal comum, a fim de que, por ele, fluam incessantemente as águas.

A nossa mente é um canal.

Mente purificada é canal desobstruído.

Mencionados os fatores positivos, é mister enumeremos, agora, os negativos.

Relacionemos, assim, aqueles que reduzem as possibilidades do seareiro invigilante.

Especifiquemos as qualidades que lhe não permitem dar quanto e como devia.

Ei-las, em síntese:

a) Mágoas excessivas e paixões;
b) Alimentos inadequados e alcoólicos;
c) Desequilíbrio nervoso e inquietude.

Sendo o passista, naturalmente, um medianeiro da Espiritualidade superior, deve cuidar da sua saúde física e mental.

Alimentação excessiva favorece a vampirização da criatura por entidades infelizes, o mesmo ocorrendo com os alcoólicos em demasia.

O equilíbrio do sistema nervoso e a ausência de paixões obsidentes propiciam um estado receptivo favorável à transmissão do passe.

Não podemos esquecer que o passe é "transfusão de energias psicofísicas".

E o veículo dessa transfusão deve, sem dúvida, ser bem cuidado.

Aconselha Emmanuel que "a higiene, a temperança, a medicina preventiva e a disciplina jamais deverão ser esquecidas".

Adverte, ainda, que "tudo na vida é afinidade e comunhão sob as leis magnéticas que lhe presidem os fenômenos".

"Doentes afinam-se com doentes."

"O médium receberá sempre de acordo com as atitudes que adotar perante a vida."

Naturalmente nenhum de nós, nem passista algum, terá a pretensão de obter, nos serviços a que se consagra, os sublimes resultados alcançados por Jesus, em todos os lances do seu apostolado de luz, e pelos apóstolos em numerosas ocasiões; entretanto, educar-nos mentalmente e curar-nos fisicamente, a fim de melhor podermos servir ao próximo, afiguram-se-nos impositivos a que nos não devemos subtrair.

O médium precisa "afeiçoar-se à instrução, ao conhecimento, ao preparo e à melhoria de si mesmo, a fim de filtrar para a vida e para os homens o que signifique luz e paz".

Não devemos concluir o presente capítulo, dedicado de coração aos passistas do nosso abençoado movimento espiritista, sem que lembremos outros requisitos não menos importantes para os que operam no setor de passes em instituições.

São os seguintes:

a) Horário,
b) Confiança,
c) Harmonia interior,
d) Respeito.

O problema da pontualidade é fundamental em qualquer atividade humana, mormente se essa atividade se relaciona e se desenvolve em função e na dependência da esfera espiritual.

Nem um minuto a mais, nem a menos, para início dos trabalhos.

Recordemos que os supervisores de centros e de grupos mediúnicos não esperam, indefinidamente, que, com a nossa clássica displicência, resolvamos iniciar as tarefas.

Se insistimos na indisciplina, eles passarão adiante à procura de núcleos e companheiros que tenham em melhor apreço a noção de responsabilidade...

O passista que não confia no Alto limita, também, a sua capacidade receptiva.

Fecha as portas da "casa mental", obstando o acesso dos recursos magnéticos.

Secundando a confiança, o fator "harmonia interior" se apresenta também imprescindível a um excelente processo de filtragem dos fluidos salutares.

E, por fim, o respeito ante a tarefa assistencial que se realiza por meio do passe.

Respeito ao Pai celestial, aos instrutores espirituais e àqueles que lhe buscam o concurso.

Pontualidade, confiança, harmonia interior e respeito são, evidentemente, virtudes ou qualidades de que não pode prescindir o médium passista.

27
NA HORA DO PASSE...

Estudemos a questão dos passes.

Podemos dizer que o tratamento mediante passes pode ser feito diretamente, com o enfermo presente aos trabalhos, ou por meio de irradiações magnéticas, com o enfermo a distância.

No passe direto, depois de orar silenciosamente, o médium é inteiramente envolvido pelos fluidos curadores hauridos no plano superior e que se canalizam para o organismo do doente; no passe a distância, que é uma modalidade de irradiação, o médium, sintonizando-se com o necessitado, a distância, para ele canaliza igualmente fluidos salutares e benéficos.

Nas chamadas "sessões de irradiação", os doentes são beneficiados a distância, não somente em virtude dos fluidos dirigidos conscientemente pelos encarnados, como pelas energias extraídas dos presentes, pelos cooperadores espirituais, e conduzidas ao local onde se encontra o irmão enfermo.

Há criaturas que oferecem extraordinária receptividade aos fluidos magnéticos. São aquelas que possuem fé robusta e sincera, recolhimento e respeito ante o trabalho que, a seu e a favor de outrem, se realiza.

Na criatura de fé, no momento em que recebe o passe, a sua mente e o seu coração funcionam à maneira de poderoso ímã, atraindo e aglutinando as forças curativas.

Já com o descrente, o irônico e o duro de coração, o fenômeno é naturalmente oposto.

Repele ele os jorros de fluidos que o médium canaliza para o seu organismo.

É aconselhável, a nosso ver, ore o indivíduo, em silêncio, enquanto recebe o passe, a fim de que a sua organização psicofísica incorpore e assimile, integralmente, as energias projetadas pelo passista.

Tal atitude criará, indubitavelmente, franca receptividade ante o socorro magnético.

Para mais completa elucidação do assunto, vamos transcrever alguns trechos do capítulo "Serviço de passes", relativos a estas considerações:

> Alinhando apontamentos, começamos a reparar que alguns enfermos não alcançavam a mais leve melhoria.
> As irradiações magnéticas não lhes penetravam o veículo orgânico.
> Registrando o fenômeno, a pergunta de Hilário não se fez esperar:
> — Por quê?
> — Falta-lhes o estado de confiança — esclareceu o orientador.
> — Será, então, indispensável a fé para que registrem o socorro de que necessitam?

— Ah! sim. Em fotografia precisamos da chapa impressionável para deter a imagem, tanto quanto em eletricidade carecemos do fio sensível para a transmissão da luz. No terreno das vantagens espirituais, é imprescindível que o candidato apresente uma certa "tensão favorável".

E, mais adiante:

Sem recolhimento e respeito na receptividade, não conseguimos fixar os recursos imponderáveis que funcionam em nosso favor, porque o escárnio e a dureza de coração podem ser comparados a ESPESSAS CAMADAS DE GELO sobre o templo da alma.

Referindo-nos ao passe a distância, comum nas sessões de irradiação, ouçamos novos esclarecimentos:

— E pode, acaso, ser dispensado a distância?
— Sim, desde que haja sintonia entre aquele que o administra e aquele que o recebe. Nesse caso, diversos companheiros espirituais se ajustam no trabalho do auxílio, favorecendo a realização, e a prece silenciosa será o melhor veículo da força curadora.

Sintetizando os nossos apontamentos, temos, então, dois tipos de passes:

a) Passes diretos (enfermo presente).
b) Passes a distância (enfermo ausente).

E no tocante à receptividade ou refratariedade das pessoas, no momento do passe, temos:

a) — Fé *mais* recolhimento *mais* respeito somam RECEPTIVIDADE.

b) — Ironia *mais* descrença *mais* dureza de coração somam REFRATARIEDADE.

Na hora do passe...

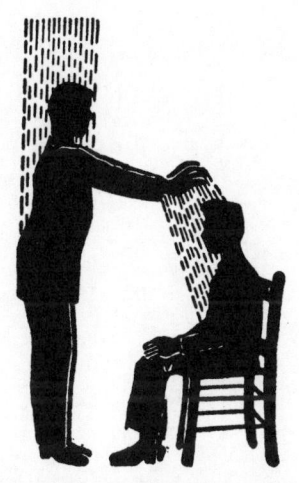

O passe recebido com fé irradia-se por todo o organismo.

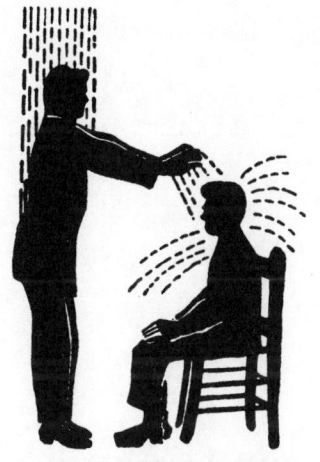

A criatura descrente torna-se refratária à recepção do passe.

Recolhido em prece, o homem de boa vontade recebe recursos do plano superior, projetando-os, depois, na direção do enfermo ausente, cuja figura mentaliza.
É o PASSE A DISTÂNCIA ou IRRADIAÇÃO.

28
Receituário mediúnico

Até que fosse publicado *Nos domínios da mediunidade*, a pergunta era feita quase que de modo geral:

— Qual o mecanismo do receituário mediúnico?

Noutras palavras: Como é possível atender, no receituário, um doente situado a milhares de léguas, no mesmo instante e no meio de um monte de quatrocentas ou quinhentas consultas, colocadas diante de uma médium e por ele vertiginosamente atendidas?

Embora os conhecimentos doutrinários dessem aos mais estudiosos uma ideia de como se processa o atendimento dos enfermos, a distância, o aparecimento do maravilhoso livro de André Luiz veio esclarecer, de modo definitivo e com absoluta clareza, o mecanismo do receituário.

Sabe-se que, em casos isolados, pode o Espírito visitar, rapidamente, o doente e indicar, no mesmo instante, o medicamento.

Nos casos, entretanto, de receituário em massa, o serviço é alguma coisa de notável e sublime.

Exige a cooperação de várias entidades.

Há um entrosamento de atividades. Uma como que comunicação teledinâmica entre os diversos colaboradores.

Enfim, uma harmonização de providências tão perfeita, simples e rápida, para não dizer momentânea, que, à maneira dos modernos aparelhos de televisão, o enfermo é atendido no mesmo instante.

Desde que surgiu a chamada "Coleção André Luiz", positivou-se a certeza de que cidades, bairros e ruas estão submetidos a um serviço de controle espiritual invejável.

Determinado Espírito, dotado de ponderáveis recursos psíquicos, controla um setor e por ele é responsável. Esse Espírito, com a sua larga visão, domina o setor que lhe está confiado.

Pode informar, a qualquer instante, por mediante o conhecimento direto ou da captação de imagens, acontecimentos ali verificados.

Como vemos, muita ordem, disciplina e trabalho.

Ser-nos-á lícito duvidar dessa "ordem divina", quando as próprias instituições humanas primam pela organização e pela disciplina, como se verifica em tantos estabelecimentos respeitáveis?!...

Pois bem, tais Espíritos são incumbidos de, atendendo às notificações oriundas do grupo onde o receituário está sendo extraído, dar informes sobre as enfermidades, fazendo, inclusive, que a imagem perispiritual do doente, por ele captada, se projete num espelho fluídico situado junto ao médium receitista.

Essa imagem apresentará, com todas as minúcias, o estado orgânico ou psíquico do consulente, e é por meio dela que a entidade receitista indica os medicamentos, após identificar-lhe as anomalias físicas ou os problemas morais.

Isso é muito lógico, simples e intuitivo.

Vejamos o esclarecimento do assistente Áulus:

> Pelo exame do perispírito, alinham-se avisos e conclusões. Muitas vezes, é imprescindível analisar certos casos que nos são apresentados, de modo meticuloso; todavia, recolhendo apelos em massa, mobilizamos meios de atender a distância. Para isso, trabalhadores das nossas linhas de atividade são distribuídos por diversas regiões, onde captam as imagens de acordo com os pedidos que nos são endereçados, sintonizando as emissões com o aparelho receptor à nossa vista. A televisão, que começa a estender-se no mundo, pode oferecer uma ideia imediata de semelhante serviço, salientando-se que entre nós essas transmissões são muito mais simples, exatas e instantâneas.

É muito frequente colocar-se o nome de uma pessoa que não está afetada de qualquer doença orgânica e, no mesmo instante, o médium consignar, vertiginosamente: "Buscaremos cooperar em seu favor com os nossos recursos espirituais, por meio de passes. Jesus nos abençoe".

Em alguns casos, as palavras finais são de encorajamento: "Confiemos em Jesus".

Outras vezes, de consolidação do bom ânimo: "Nosso amigo continua sob o amparo de benfeitores da Espiritualidade".

Informando-se, posteriormente, da situação da pessoa cujo nome, desconhecido do médium, fora incluído no receituário, entre centenas de outras consultas, saber-se-á que está às voltas com problemas de ordem moral, abatida, desanimada ou mesmo atravessando uma fase de provações acerbas.

Remédios, nem uma gota.

E para que, se o mal era todo anímico, isto é, psíquico?

Em casos de pessoas viciadas, no jogo ou no álcool, é comum, igualmente, a não indicação de remédios. O habitual é: "Buscaremos cooperar em seu favor, etc., etc.".

Nos casos de doença orgânica, o medicamento vem e perfeitamente aplicável à enfermidade.

Se o consulente sofre do fígado, lá vem um extrato hepático.

Se está esgotado, um bom reconstituinte.

Se anda às voltas com uma eczematose exsudativa, lá vem o conselho: "O uso do pó tal pode ser experimentado (aplicações externas)".

E assim por diante...

Nos centros onde o receituário é volumoso, é numerosa a equipe de médicos desencarnados, receitando um de cada vez, enquanto os demais aguardam, atentos, a sua vez.

Mediante de um sistema de comunicações que funciona, indubitavelmente, na base do magnetismo, por meio de vibrações, as entidades responsáveis pelos diversos setores recebem a notificação da consulta, entram em relação como o consulente, captam a sua imagem perispiritual e a retransmitem para o local dos trabalhos, projetando-se ela no espelho fluídico, onde, numa fração de minuto, é examinada pelos companheiros espirituais ali presentes.

Receituário mediúnico

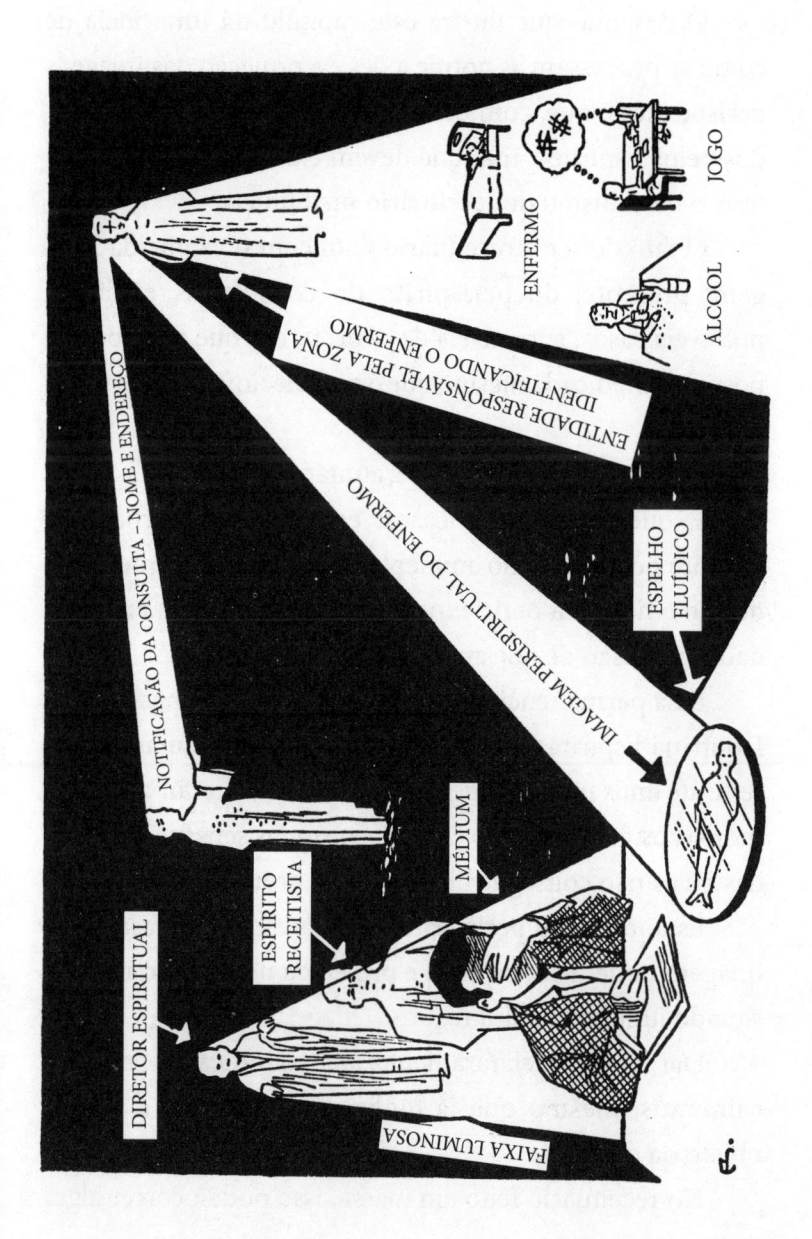

O desenho que ilustra este capítulo dá uma ideia de como se processam as notificações e a projeção das imagens perispiríticas, que, com outros pormenores não especificados pelos Espíritos, mas que devem existir, constituem, em tese, o mecanismo do receituário mediúnico.

O fato de ser o receituário feito com o exame da imagem, presente, do perispírito do consulente, explicará possíveis casos, suscetíveis de ocorrer, em que uma pessoa possa ser medicada mesmo que o seu falecimento já se tenha verificado.

De que forma? Hão de perguntar, sem dúvida.

É que, em muitos casos, embora desencarnado, o Espírito permanece no ambiente familiar, especialmente no quarto e na cama onde experimentou as dores da enfermidade, na ilusão de que ainda vive.

Essa permanência — ponto absolutamente pacífico em Doutrina Espírita — pode ser de horas, dias, semanas, meses e até anos inteiros, segundo o maior ou menor apego do morto aos familiares, ao lar ou às próprias sensações físicas, das quais não consegue libertar-se de pronto.

Estando o seu perispírito ainda presente na casa, a sua imagem poderá ser captada e projetada no espelho fluídico situado junto ao médium.

Daí ser possível, raramente, aliás, a indicação de medicamentos, mesmo que já tenha desencarnado a pessoa objeto da consulta.

No receituário feito em massa, isso pode ocorrer algumas vezes.

Os leigos estranharão e os estudiosos acharão a coisa muito simples e absolutamente natural. É por isso que o discípulo amado aconselha carinhoso: "Um novo mandamento vos dou: instruí-vos".

Sobre o assunto, vejamos a explicação do assistente Áulus:

> Muita vez, a longa distância, a criatura em sofrimento é mostrada aos que se propõem socorrê-la e os samaritanos da fraternidade, em virtude do número habitualmente enorme dos aflitos, com a obrigação de ajudar, não podem, de momento, ajuizar se estão recebendo informes acerca de um encarnado ou de um desencarnado, mormente quando não se acham laureados por vastíssima experiência. Em certas situações, os necessitados exigem auxílio intensivo em pequenina fração de minuto. Assim sendo, qualquer equívoco desse jaez é perfeitamente admissível.

As elucidações do assistente, as palavras do presente capítulo e o gráfico com que as ilustramos aclaram a maneira pela qual se verifica o receituário nos centros e nos grupos do Espiritismo Cristão, onde a mensagem consoladora e o medicamento oportuno exprimem o sublime devotamento desses benfeitores que, em nome de Jesus Cristo, amparam as fraquezas humanas e distribuem remédio para os corpos enfermos.

Abençoada, pois, mil vezes abençoada seja a Doutrina Espírita que tem sido, é e será sempre valioso manancial de paz e esclarecimento, dando de graça o que de graça recebem os seus adeptos.

Encerramos esse capítulo, lembrando-nos, comovidos, das palavras de um grande médico brasileiro: "Ai dos pobres do Rio de Janeiro se não fossem os espíritas".

29
Objetivos do Mediunismo

O mediunismo é um campo de trabalho no qual podem florescer, sob a inspiração de Jesus, as mais sublimes expressões de fraternidade.

Traço de união entre a Terra e o Céu, por ele cultivará o homem bem-intencionado o sentimento do bem e da legítima solidariedade.

O Evangelho será, agora e sempre, a base da prática mediúnica.

Quanto mais espiritualizado o médium e mais cônscio de sua responsabilidade ante a tarefa sagrada que o Pai celestial lhe concede, mais rico em possibilidades de engrandecimento da própria alma e de benefício aos desalentados do caminho evolutivo.

Daí a necessidade de o medianeiro afeiçoar-se, primordialmente, a um programa de autorrenovação, a fim de que mais eficientemente possa ajudar a si mesmo e aos outros.

Organizamos, neste capítulo, uma síntese dos principais objetivos resultantes da prática mediúnica com Jesus, ou seja, dos trabalhos mediúnicos em que uma só seja a finalidade: ajudar o próximo.

Por ela notaremos que não é o mediunismo simples acidente na vida humana, mas, sem dúvida, programação superior com vistas à redenção de todas as criaturas.

Por meio dessa síntese, compreenderemos, por conclusões de ordem doutrinária, que o médium que executa com fidelidade o seu programa de trabalho é feliz viajor que espalha com abundância, nas estradas do próprio destino, a semente dadivosa do amor, que, amanhã, aqui ou em qualquer parte, lhe responderá em forma de flores e frutos.

Tais considerações, decalcadas no capítulo "Apontamentos à margem", possibilitaram-nos a formação do seguinte diagrama:

SÍNTESE DOS PRINCIPAIS OBJETIVOS DA PRÁTICA MEDIÚNICA COM JESUS

Para os encarnados:
- Cooperação com encarnados e desencarnados, no serviço de reconforto e esclarecimento.
- Autoeducação, pela renovação dos sentimentos, com aproveitamento das mensagens de elevado teor.
- Construção de afeições preciosas no plano espiritual, consolidando, assim, as bases da cooperação e da amizade superior.

Objetivos do mediunismo

SÍNTESE DOS PRINCIPAIS OBJETIVOS DA PRÁTICA MEDIÚNICA COM JESUS

Para os desencarnados
- Preparação de facilidades para os que tiverem de reiniciar o aprendizado, pela reencarnação, mediante o auxílio aos atuais desencarnados.
- Auxílio a reencarnados e desencarnados no esforço de libertação das telas da ignorância e do sofrimento.
- Transmissão, aos reencarnados, dos esclarecimentos edificantes dos grandes instrutores que operam com Jesus na redenção da humanidade.

Podemos notar, por esse estudo, que o serviço mediúnico beneficia não só a encarnados e desencarnados, oferecendo-lhes oportunidades de trabalho, como também ao próprio médium, pelas consequências advindas do seu devotamento e da sua perseverança.

Não cogitaremos, nessas considerações, do "bom médium", ou seja, daquele que, dotado de apreciáveis faculdades, possibilita a realização de fenômenos insólitos que deslumbram e empolgam, sem finalidade construtiva com vistas à elevação da alma.

Cogitaremos do "médium bom", isto é, daquele que, afeiçoando-se ao bem, melhora-se cada dia e a cada dia se instrui, a fim de se tornar capaz de filtrar, do Céu, "o que signifique luz e paz", reconforto e esclarecimento para encarnados e desencarnados.

"Médium bom", ajuda; "bom médium", deslumbra.

"Médium bom" é aquele que reconhece, nos ensinamentos por ele recebidos, ensejo à sua própria renovação, em vez de, pretensiosamente, atribuí-los a outrem.

O "médium bom", pela sua dedicação, constrói no plano espiritual superior preciosos amigos que, a qualquer tempo e em qualquer lugar, lhe serão admiráveis companheiros e instrutores.

Por meio da prática mediúnica ajudamos o esclarecimento daqueles que se preparam, no Espaço, para o retorno à vida física, pela reencarnação.

São frequentes as comunicações em que os Espíritos, depois de agradecerem o amparo recebido, despedem-se, comovidos, sob aviso de que "vão reencarnar", o que evidencia a utilidade da boa prática mediúnica.

Encarnados e desencarnados, empenhados no esforço comum de libertação das teias da ignorância, geradora do sofrimento, recebem igualmente, dos núcleos mediúnicos cristãos, valioso auxílio ao próprio reajuste.

Objetivos do mediunismo

Os grandes instrutores da Espiritualidade utilizam-se dos médiuns para a transmissão de mensagens edificantes, enriquecendo o mundo com novas revelações, conselhos e exortações que favoreçam a definitiva integração a programas emancipadores.

Tudo isso pode o mediunismo conseguir se o pensamento de nosso Senhor, repleto de fraternidade e sabedoria, for a bússola de todas as realizações.

Não são imprescindíveis, a rigor, valores intelectuais avantajados, os quais, aliás, quando divorciados do sentimento ou malgovernados, podem conduzir à presunção e à vaidade.

Entre as quatro paredes de um barracão ou de um tugúrio anônimo, corações fraternos e almas bem-formadas podem, sob o impulso da boa vontade e do amor, realizar prodígios.

Onde se congreguem criaturas animadas pelo desejo de *fazer o bem*, sem interesses inconfessáveis e sem ideia de recompensa, aí estarão, compassivos e generosos, os mensageiros do Senhor.

Para o trabalho iluminativo, no qual o bem se expresse na forma de consolação e auxílio, o que menos importa são as posses materiais.

No intercâmbio espiritual, a moeda circulante é o amor.

Jesus estará sempre em qualquer lugar onde se exaltem o bem e a sabedoria.

E não podia deixar de ser assim, uma vez que o suave Amigo nos afirmou, incisiva e categoricamente:

"Onde estiverem reunidas duas ou três pessoas em meu nome, eu estarei no meio delas".

30
Suicídios

O capítulo "Apontamentos à margem" deu-nos, também, ensejo às presentes considerações em torno do suicídio, ato infeliz e de consequências desastrosas que a criatura humana pode praticar na Terra.

De modo geral, crê o candidato ao suicídio que, exterminando o corpo físico, põe termo aos sofrimentos.

Realizado o gesto extremo, a grande ilusão se desfaz, como se fosse uma bolha de sabão impulsionada pelo vento.

"Sai o Espírito do sofrimento e cai na tortura."

Sai do ruim e cai no pior.

Numa pálida e modesta tentativa de comentar, da maneira que nos for possível, tão doloroso assunto, estabelecemos, inicialmente, a seguinte classificação para o suicídio:

a) Por livre deliberação da pessoa;
b) Por influência de obsessores;
c) Por indução de terceiros.

De modo geral, entretanto, prevalece sempre o item "a", uma vez que a deliberação, própria ou resultante da insinuação de terceiros, encarnados ou desencarnados, será, em última análise, do indivíduo, ressalvados, deve-se notar, casos em que há coação, tão ostensiva e compulsória, que a infeliz criatura se sente dominada.

A ação dos perseguidores espirituais é indiscutível.

Acreditamos mesmo que a maioria das deserções do mundo se dê por influência e sugestão de Espíritos vingativos, embora caiba a responsabilidade maior a quem lhes atende as insinuações, uma vez que tem a criatura o seu próprio livre-arbítrio.

Por indução de terceiros (item c) procuramos situar os casos em que uma pessoa convence a outra de que a única solução para o seu problema será o desaparecimento do mundo.

O insinuador não escapará, de modo algum, às dolorosas consequências de sua atitude.

Na Terra, o Código Penal prevê reclusão de 2 a 6 anos a quem induza outro ao suicídio.

Na Espiritualidade, após a morte, a consciência culpada sofrerá por longo tempo os efeitos de sua conduta.

Classificamos, para melhor compreensão do tema, os habituais tipos de suicídios, assim compreendidos:

a) Destruição violenta do corpo;
b) Excessos (álcool, orgias, alimentos, etc.);
c) Menosprezo ao vaso físico.

Suicídios

Vemos, assim, que não é suicida apenas aquele que elimina a própria vida com uma arma ou que se atira à frente das rodas de uma viatura qualquer.

Sê-lo-á, também, aquele que cometer excessos que resultem na "antecipação da morte". Aquele que, menosprezando o aparelhamento fisiológico, lhe esgotar o "tônus vital" que lhe asseguraria uma existência normal, adrede preparada para que o seu Espírito, habitando no templo do corpo, realizasse o seu aprendizado e cumprisse as suas tarefas redentoras.

Todos os suicidas, deste ou daquele tipo, responderão pelo seu gesto, segundo as circunstâncias que o motivaram.

Não nos compete a análise das circunstâncias que possam agravar ou atenuar a falta; todavia, acreditamos, em tese, que sofrerão flagelações íntimas equivalentes à responsabilidade de cada caso.

Muitos motivos determinam os suicídios, consoante se observa da leitura das reportagens especializadas.

Uns sérios e dolorosos e outros destituídos de qualquer seriedade.

Vejamos alguns dos motivos: (a) falta de fé, (b) esgotamento nervoso, (c) orgulho ferido, (d) desgostos íntimos, (e) tédio, (f) loucura, e (g) espírito de sacrifício.

Acreditamos que, em qualquer dos casos acima, quando a alma se recupera, no plano espiritual, arrepende-se de ter desertado da vida física, pela noção de que Deus lhe tenha dado a necessária resistência.

O desespero é inimigo do bom senso; passada a tempestade, vem a bonança.

Segundo as descrições dos Espíritos e os ensinamentos doutrinários, são as seguintes as consequências gerais dos suicídios:

a) Visão, pela própria alma, do corpo em decomposição;
b) Flagelações nos planos inferiores;
c) Frustrações de tentativas para a reencarnação;
d) Reencarnações dolorosas, com agravamento das provas.

No livro *Entre a Terra e o Céu*, de André Luiz, temos o caso de Júlio: duas tentativas de suicídio, em vidas passadas, equivaleram a duas tentativas de reencarnações frustradas.

Mais uma vez somos compelidos a lembrar o Evangelho como refúgio e defesa para a nossa alma ante as lutas, problemas e aflições que o mundo oferece.

Depois que o sentimento evangélico penetra na alma humana, levando-lhe fé e humildade, discernimento e valor, dificilmente a criatura recorre ao extremo gesto.

Jesus permanece, portanto, como se o mundo contemporâneo fosse o mesmo cenário poético da Galileia, quando as suas palavras entravam coração adentro, incutindo coragem, esperança e bom ânimo:

"Aquele que perseverar até ao fim será salvo." (MATEUS, 10:22.)

"Eu sou a luz do mundo; quem me segue não andará nas trevas; pelo contrário, terá a luz da vida." (JOÃO, 8:12.)

"Quem ouve a minha palavra e crê naquele que me enviou, tem a vida eterna." (João, 5:24.)

"Eu sou o pão da vida; o que vem a mim jamais terá fome." (João, 6:35.)

"Se alguém tem sede, venha a mim e beba." (João, 7:37.)

31
Comunhão mental

Não podemos, em sã consciência, ressaltar este ou aquele capítulo do livro *Nos domínios da mediunidade*.

Todo ele é um repositório de valiosas lições, repletando-se de oportunos esclarecimentos relativos aos problemas mediúnicos.

A análise do capítulo "Dominação telepática" põe-nos em relação com impressionante fenômeno de sintonia vibracional, em virtude da qual a segurança de um lar é ameaçada pela interferência de uma mulher que, enlaçando o chefe da família na trama de "mentirosos encantos", age maleficamente a distância.

Embora a ação telepática incida, diretamente, sobre o esposo invigilante, a sua companheira de experiência matrimonial também se deixa envolver, em face de estar a sua mente naturalmente associada à do marido, como decorrência da vida em comum.

Explicando tal fenômeno, o assistente Áulus esclarece:

Jovino permanece atualmente sob imperiosa dominação telepática, a que se rendeu facilmente, e, considerando-se que *marido e mulher respiram em regime de influência mútua*, a atuação que vem sofrendo envolve a esposa, atingindo-a de modo lastimável, porquanto a pobrezinha não tem sabido imunizar-se com os benefícios do perdão incondicional.

Antes das considerações sugeridas pelo citado capítulo, fixemos o seguinte gráfico:

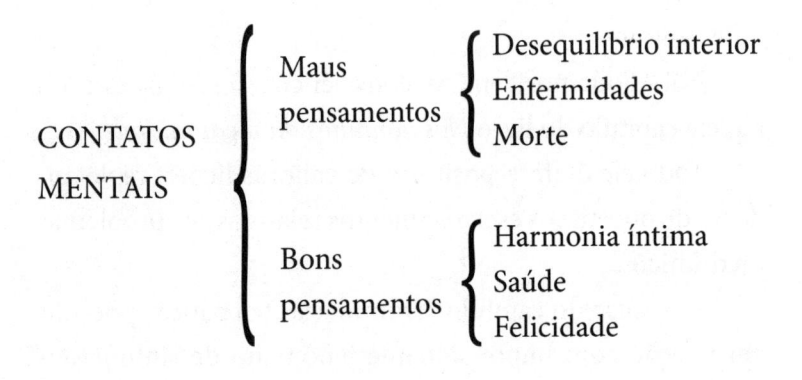

CONTATOS MENTAIS
- Maus pensamentos
  - Desequilíbrio interior
  - Enfermidades
  - Morte
- Bons pensamentos
  - Harmonia íntima
  - Saúde
  - Felicidade

Temos em pauta, para modesto estudo, um problema seríssimo, para cuja solução o conhecimento do Espiritismo e o afeiçoamento aos seus princípios fraternos concorrem satisfatoriamente.

A Doutrina Espírita, iluminada pelo Evangelho, não é, apenas, um conjunto de observações e fatos que se destinam, sob o ponto de vista moral, à obra de consolação e de esclarecimento.

Os seus objetivos não se limitam, tampouco, ao exclusivo exercício da mediunidade.

As suas finalidades, que têm para nós um sentido de eternidade, em função do tempo e do espaço, não se restringem à pregação nos centros espalhados por esse Brasil imenso.

O Espiritismo é tudo isso — e muito mais.

É vivência dos preceitos cristãos, estruturando a felicidade e a paz de quantos lhe conhecem o roteiro de luz.

Não tem ele, evidentemente, a função de livrar-nos das provações que se enquadram em nosso destino, em face da lei de causalidade.

Todavia, pelas elevadas noções que consubstancia, faculta-nos os meios de atenuá-las ou modificá-las, segundo o nosso programa renovador e em benefício de nossa felicidade.

À luz dos conhecimentos doutrinários, os horizontes do nosso Espírito se dilatam, uma vez que nos dá, o Espiritismo, o que outras religiões não podem oferecer aos seus adeptos.

Vivemos em permanente sintonia com entidades desencarnadas e com pessoas de todos os tipos evolutivos, permutando, assim, criações mentais elevadas ou inferiores.

"Pensamentos guerreiam pensamentos, assumindo as mais diversas formas de angústia e repulsão."

"É a influenciação de almas encarnadas entre si que, às vezes, alcança o clima de perigosa obsessão."

Além disso, maus pensamentos têm o poder de produzir desequilíbrios interiores, enfermidades e, até, a própria morte, da mesma forma que bons pensamentos estabelecem harmonia psíquica, saúde e felicidade.

Temos, no capítulo em estudo, o caso de um lar que, pela intercessão de uma irmã infeliz, está ameaçado em seus alicerces.

De Anésia, esposa do irmão Jovino, dependerá, grandemente, a solução do grave problema.

A sua conduta vai influir, decisivamente, para que as coisas voltem ao ponto de partida ou se agravem.

Se as suas vibrações descerem ao mesmo nível da irmã que lhe ameaça a paz doméstica, a tendência é para piorar; todavia, se souber compreender a infelicidade de quem envolveu o esposo em perigosa cilada, perdoando sinceramente, dentro de algum tempo Anésia e Jovino, já despertos para a execução de seus deveres, guardarão do atual incidente apenas tênue lembrança...

A harmonia e o entendimento reinarão, de novo, no santuário doméstico em cuja entrada pequeno roseiral "dizia sem palavras dos belos sentimentos dos moradores".

A fim de que tenhamos ideia de como se verifica a ação telepática, vejamos de que maneira André Luiz descreve o ambiente familiar assediado, a distância, pela projeção mental da mulher:

> O chefe da família, depois de apurar o nó da gravata vivamente colorida, bateu a porta estrepitosamente sobre os próprios passos e retirou-se.
> A companheira humilhada caiu em pranto silencioso sobre velha poltrona e começou a pensar, articulando frases sem palavras:
> "Negócios, negócios... Quanta mentira sobre mentira! Uma nova mulher, isso sim!"

Enquanto as reflexões dela se faziam audíveis para nós, irradiando-se na sala estreita, vimos de novo a mesma figura de mulher que surgira à frente de Jovino, aparecendo e reaparecendo ao redor da esposa triste, como que a fustigar-lhe o coração com invisíveis estiletes de angústia, porque Anésia acusava agora indefinível mal-estar.

Não via com os olhos a estranha e indesejável visita; no entanto, assinalava-lhe a presença em forma de incoercível tribulação mental. De inesperado, passou da meditação pacífica a tempestuosos pensamentos.

O descontrole modifica, em sentido negativo, o teor vibratório.

Entregando-se, desarvorada, à aflição, possibilitava Anésia a comunhão mental com a mulher que, de longe, projetava seus pensamentos na direção do lar ameaçado.

Vejamos como o assistente elucida o fenômeno:

> O pensamento exterioriza-se e projeta-se, formando imagens e sugestões que arremessa sobre os objetivos que se propõe atingir. Quando benigno e edificante, ajusta-se às Leis que nos regem, criando harmonia e felicidade; todavia, quando desequilibrado e deprimente, estabelece aflição e ruína.

Naturalmente o leitor indagará, com uma certa ideia de que ficamos à mercê de influências estranhas à nossa vontade:

— E não existem meios de neutralizar as vibrações de ódio?

E a resposta, clara e lógica, se encontra nas próprias palavras de Áulus: "A melhor maneira de extinguir o fogo é recusar-lhe combustível".

O combustível que alimenta o ódio é o próprio ódio.

O seu antídoto é o amor, que se expressa no perdão incondicional, filho do entendimento evangélico.

Ante tal elucidação, compreenderemos melhor, sem dúvida, a advertência do Mestre de que não devemos revidar ao mal.

Se a nossa irmã pretende e deseja defender o seu lar e a sua paz, procure identificar na criatura, invigilante, que investe contra o seu esposo, uma irmã necessitada que não pode, ainda, medir as consequências do lastimável equívoco a que se entrega.

Apliquemos à própria vida o conselho de Jesus: "Não são os sadios que precisam de médico".

A paz e a vitória pertencerão, em todos os problemas e em todas as lutas, àqueles que, amando e perdoando, exemplificam, na conformidade dos seus próprios recursos espirituais, os preceitos do divino Amigo.

Teríamos, assim, os seguintes meios para neutralizar a influência antifraterna dos nossos companheiros de caminhada:

a) Amor e perdão para os adversários.
b) Auxílio aos perseguidores.
c) Oração pelos que nos caluniam.

Comunhão mental

A prática de tais virtudes, ainda difíceis de serem exercidas com espontaneidade, outra coisa não seria senão a obediência às determinações do Mestre, no sentido de orarmos por aqueles que nos perseguem e caluniam.

32
ALMAS EM PRECE

Não podemos entender serviço mediúnico sem noção de responsabilidade individual.

É inconcebível se promova o intercâmbio com a Espiritualidade sem que haja, da parte de cada um e de todos, em conjunto, aquela nota de respeito e veneração que nos faz servir, "espiritualmente ajoelhados", às tarefas mediúnicas.

Os amigos espirituais consagram tanto respeito ao setor mediúnico que o assistente Áulus, ao se dirigir para a sala das reuniões, teve as seguintes palavras que, de maneira expressiva e singular, traduzem a maneira como encaram o serviço:

"Vemos aqui o salão consagrado aos ensinamentos públicos. Todavia, o núcleo que buscamos (sala das sessões mediúnicas) jaz em reduto íntimo, assim como o coração dentro do corpo".

E, referindo-se à preparação dos encarnados, antes do início dos trabalhos, reporta-se a "quinze minutos de prece, quando não sejam de palestra ou leitura com elevadas bases morais".

Não se justifica, realmente, que, antes das reuniões, demorem-se os encarnados em conversações inteiramente estranhas às suas finalidades.

Não se justificam a conversação inadequada e o ambiente impregnado de fumo, numa ostensiva desatenção a respeitáveis entidades e num desapreço aos irmãos sofredores trazidos aos centros a fim de que, em ambiente purificado, sejam superiormente atendidos.

Há grupos em que os encarnados se comprazem, inclusive, em palestras desaconselháveis que estimulam paixões, tais como política, negócios e alusões a companheiros ausentes, numa prova indiscutível de que não colaboram para que os recintos reservados às tarefas espirituais adquiram a feição de templos iluminativos.

Salientando o sentimento de responsabilidade dos dez companheiros do grupo visitado, Áulus esclarece:

> Sabem que não devem abordar o mundo espiritual sem a atitude nobre e digna que lhes outorgará a possibilidade de atrair companhias edificantes, e, por esse motivo, não comparecem aqui sem trazer ao campo que lhes é invisível as sementes do melhor que possuem.

É oportuno ressaltar que os componentes do grupo, embora criaturas humanas e sujeitas às mesmas lutas com que se defrontam todas as almas em processo de regeneração, por intermédio do trabalho e do estudo, compareçam ao centro e nele se conduzem como se estivessem num santuário celeste.

Não são almas santificadas.

São criaturas de boa vontade que transitam normalmente pelo mundo, cada uma ocupada com as obrigações que a vida lhe impõe: trabalham, comem, vestem-se e distraem-se na recreação edificante.

Todavia, a sinceridade de propósito e a fé, o devotamento e a veneração ao serviço asseguram o êxito das tarefas e garantem-lhes magnífica assistência espiritual.

Vejamos como André Luiz, usando o psicoscópio, observa os irmãos profundamente concentrados na prece:

> Detive-me na contemplação dos companheiros encarnados que agora pareciam mais estreitamente associados entre si, pelos vastos círculos radiantes que lhes nimbavam as cabeças de opalino esplendor.
>
> Tive a impressão de fixar, em torno do apagado bloco de massa semiescura a que se reduzira a mesa, uma coroa de luz solar, formada por dez pontos característicos, salientando-se no centro de cada um deles o semblante espiritual dos amigos em oração.

O quadro observado por André Luiz é deveras tocante.

Com a atenção presa "ao círculo dos rostos fulgurantes, visivelmente unidos entre si, à maneira de dez pequeninos sóis, imanados uns aos outros", verifica André Luiz que, sobre cada um dos encarnados em prece, "se ostentava uma auréola de raios quase verticais, fulgentes e móveis, quais se fossem diminutas antenas de ouro fumegante".

Estudando a mediunidade

O núcleo mediúnico que serve ao bem é amparado pela Espiritualidade superior. Na oração fervorosa, os semblantes dos companheiros se projetam, em círculos luminosos, acima de suas cabeças. Amigos espirituais supervisionam as tarefas.
(Os círculos luminosos são observados por meio do psicoscópio.)

Qualquer grupo mediúnico que funcionar na base da harmonia, do entendimento e da sinceridade obterá, sem dúvida, essa mesma defesa maravilhosamente observada e descrita por André Luiz.

Tendo Jesus Cristo afirmado que estaria sempre "onde duas ou três pessoas se reunissem em seu nome", estamos convictos de que, onde o trabalho se realizar sob a inspiração do seu Amor, num palacete ou num casebre, a sua divina presença se fará por meio de iluminados mensageiros.

Como e por que duvidarmos disso, se temos certeza de que a misericórdia do Senhor não se circunscreve a grupos ou pessoas, mas se estende, abundantemente, a todos quantos, na execução de tarefas em seu nome augusto, servem, incondicionalmente, ao bem?!

Quanto nos seja possível, por amor à Causa, falemos e escrevamos sempre concitando, moderada e fraternalmente, à nossa querida família espírita a dignificar o serviço mediúnico, oferecendo-lhe, agora e sempre, o melhor de nosso coração, de nossa alma, de nossa inteligência.

Fora disso, haverá sempre escolhos e incertezas...

33
Definindo a prece

O capítulo "Mediunidade e oração" sugeriu-nos um estudo em torno da prece, considerando o imperativo da comunhão com o plano espiritual superior, em nossas tarefas mediúnicas.

A prece, em qualquer circunstância, afigura-se-nos um apelo de nossa alma estabelecendo instantânea ligação com o mundo espiritual, segundo os princípios de afinidade que regem o intercâmbio mental.

Sendo a prece "um apelo", evidentemente somos levados a, de acordo com as instruções dos benfeitores espirituais, classificá-la de vários modos.

Em primeiro lugar, teremos a "prece vertical", isto é, aquela que, expressando aspirações realmente elevadas, se projeta na direção do Mais Alto, sendo, em face dos mencionados princípios de afinidade, recolhida pelos missionários das esferas superiores.

Em segundo lugar, teremos a "prece horizontal", traduzindo anseios vulgares.

Essa prece não terá impulso oblíquo ou vertical, porque encontrará ressonância entre aqueles Espíritos ainda ligados aos problemas terrestres, vivendo, portanto, *horizontalmente*.

Por fim, teremos a descendente.

A essa não daremos a denominação de "prece", substituindo-a por "invocação", consoante aconselha o ministro Clarêncio (*Entre a Terra e o Céu* — André Luiz).

Na "invocação", o apelo receberá a resposta de entidades de baixo tom vibratório.

São os petitórios inadequados, expressando desespero, rancor, propósitos de vingança, ambições, etc.

Os bilhões de Espíritos desencarnados que constituem a população invisível ocupam variados degraus da escada ascensional, superlotando-os.

Cada degrau simboliza uma faixa vibratória, submetida às mesmas leis universais que presidem, aqui e em toda a parte, ao intercâmbio entre inteligências encarnadas e desencarnadas.

Vivemos e respiramos dentro dessas faixas. Os nossos sentimentos indicam o degrau que ocupamos.

Assim sendo, nossas preces encontrarão sempre a resposta dos nossos afins, dos que comungam conosco tais ou quais ideias, tais ou quais objetivos.

Na prece vertical, quando pedimos a Deus que, acima dos nossos desejos, prevaleça a sua augusta vontade, sintonizaremos com os elevados mensageiros do seu amor, com as entidades que se sublimaram pelo cultivo da fraternidade legítima.

DEFININDO A PRECE

Na prece horizontal, receberemos a palavra e a colaboração dos amigos que ainda se ocupam, como nós, de problemas de relativa importância, embora respeitáveis.

Na "invocação" — apelo descendente —, virão a nós ajudar a materialização dos nossos propósitos malsãos, entidades infelizes que permanecem em verdadeiras furnas, nas regiões trevosas.

Em nossos núcleos mediúnicos, de acordo com os objetivos inspiradores de nossas tarefas, seremos atendidos por tais ou quais Espíritos.

Se o pensamento cristão for a bússola de nossas realizações, não faltarão abnegados instrutores que, dos planos elevados, conduzirão o nosso esforço e estimularão o nosso idealismo.

E o pensamento cristão é aquele que o divino Amigo exemplificou no poético cenário da Palestina: amor ao próximo, oração pelos caluniadores, perdão das ofensas amparo aos doentes e ignorantes...

Toda vez que orientarmos as nossas tarefas segundo o pensamento do Mestre, estaremos proferindo a prece vertical, que, à maneira de sublime foguete, penetrará verticalmente os espaços, trazendo, na volta, a mensagem do Cristo, numa confirmação da eternidade de suas palavras: "Pedi, e obtereis; batei, e abrir-se-vos-á; buscai, e achareis".

34
Desencarnação

Parecerá estranho o fato de incluirmos no presente livro, todo ele consagrado ao estudo da mediunidade, um capítulo especial sobre a desencarnação.

Esclarecemos que esta página decorreu do estudo do capítulo "Mediunidade no leito de morte", e a sua inclusão tem a finalidade de focalizar um dos mais sagrados momentos da existência humana, qual seja "o da morte", isto é, do retorno do viajor terrestre à pátria espiritual.

Entre os inúmeros momentos dignos de respeito, dentro da vida, tais como os do nascimento, da oração, da reunião em nossos templos de fé, etc., o ato desencarnatório deve inspirar-nos o máximo apreço.

Se imaginássemos tudo quanto se passa "na hora da partida", seríamos mais respeitosos e dignos toda vez que presenciássemos um falecimento.

O esforço e a abnegação dos mentores espirituais, na desencarnação de determinadas criaturas, é realmente digno de menção.

Cooperadores especializados aglutinam esforços no afã de desligarem, sem incidentes, o Espírito eterno do aparelho físico terrestre.

Verdadeiras operações magnéticas são efetuadas nas regiões orgânicas fundamentais, ou seja, nos centros vegetativo, emocional e mental.

Estudando o capítulo "Mediunidade no leito de morte", levamos ao quadro negro o seguinte gráfico, com o objetivo de fixar as principais providências desencarnatórias, de natureza magnética, bem assim os sintomas peculiares ao andamento e conclusão de cada uma delas:

REGIÕES FUNDAMENTAIS DO ORGANISMO HUMANO

- *Centro vegetativo* — ligado ao ventre, sede das manifestações fisiológicas. { Esticamento dos membros inferiores; esfriamento do corpo.

- *Centro emocional* — situado no tórax, zona dos sentimentos e desejos. { Desregularidade do coração, aflição, angústia, pulso fraco.

- *Centro mental* — situado no cérebro, o mais importante. { Fossa romboidal. Coma. Desatamento do laço fluídico.

Conforme observamos, a operação inicial é efetuada na região do ventre, à qual se acha ligado o centro vegetativo, como sede das manifestações fisiológicas.

Com essa providência, o moribundo começa a esticar os membros inferiores, sobrevindo, logo após, o esfriamento do corpo.

Atuando os Espíritos superiores, a seguir, sobre o centro emocional, sediado no tórax e representando a zona dos sentimentos e desejos, novos sintomas se verificam: desregularidade do coração, aflição, angústia e pulso fraco. É a reação do corpo tentando reter o Espírito, hóspede de tantos anos, companheiro de tantas experiências cuja partida tenta evitar.

O organismo age, então, como se tivesse inteligência para pensar.

Sabemos, entretanto, que o corpo não pensa. O Espírito é o piloto da embarcação, cujos destroços contemplará logo mais, se puder...

Afirma Neio Lúcio que entre Espírito e matéria há um ponto de interação ainda inabordável. Esse ponto de interação — constituindo a causa das mútuas relações entre Espírito e corpo — é que motiva, a nosso ver, essa tentativa de retenção.

A operação final é no cérebro, onde fica situado o centro mental, a região mais importante.

O trabalho magnético se realiza inicialmente sobre a fossa romboidal, que a Medicina define mais ou menos com as seguintes palavras: "Assoalho do quarto ventrículo, que, por sua vez, é uma cavidade situada na face posterior do bulbo e protuberância, portanto anterior ao cerebelo.

O quarto ventrículo está normalmente cheio de líquido encéfalo-medular.

No fundo da fossa romboidal estão situados os centros mais importantes da vida vegetativa, tais como o da respiração e o vasomotor".

Após essa última operação magnética, sobre a fossa romboidal, e sobre a qual ainda nos reportaremos no final deste capítulo, sobrevém o estado de coma, embora o Espírito esteja ligado — e bem ligado ao veículo físico.

Por fim, o desatamento do laço fluídico. Só aí, conclui-se a desencarnação.

O mundo espiritual recebe mais um habitante e a demografia terrestre registra, no seu volume populacional, decréscimo equivalente.

Depois da desencarnação — cujo processo *nunca é igual para todos* —, ao despertar no plano espiritual defrontar-se-á o recém-chegado com as seguintes invariáveis realidades:

a) Visão panorâmica da última existência.
b) Reaquisição da forma antiga.
c) Encontro com Espíritos afins (elevados ou inferiores).
d) Analogia do meio espiritual com a paisagem terrestre.

Em resumo: encontrar-se-á consigo mesmo.

Essa concordância, pelo que temos lido, parece repetir-se em todos os falecimentos, abstração feita, como é natural, de minúcias relacionadas com o estado evolutivo, carma, problemas mentais, etc., de cada um.

Depois de conhecermos o trabalho afanoso dos mentores espirituais, somos compelidos a exaltar o respeito devido ao ambiente no qual alguém está desencarnando ou desencarnou, a fim de que, pela atitude de oração silenciosa, ajudemos o viajor e cooperemos com os missionários da cirurgia divina.

Esse assunto não foi estudado, apenas, com elementos do capítulo "Mediunidade no leito de dor", recolhemos abundante e valioso material do livro do próprio André Luiz — *Obreiros da vida eterna*, capítulo XIII.

Da fusão desses elementos, foi-nos possível organizar as considerações acima.

Digna de nota e comentário foi a operação sobre a fossa romboidal, de cujo centro se desligou "brilhante chama violeta-dourada" que absorveu, instantaneamente, "a vasta porção de substância leitosa já exteriorizada" do plexo solar e do tórax.

A observação é sobretudo interessante: da reunião desses três elementos — 1) chama violeta-dourada, saída da fossa romboidal, 2) substância extraída do plexo solar, e 3) substância retirada do tórax — resultou a constituição da nova forma perispiritual do desencarnado.

Não queremos encerrar este capítulo, pelo qual lembramos a respeitabilidade da "hora da morte", em vista do maravilhoso trabalho dos instrutores espirituais, sem que transcrevamos as palavras com que André Luiz narra a formação do perispírito do recém-desencarnado:

> Concentrando todo o seu potencial de energia na fossa romboidal, Jerônimo quebrou alguma coisa que não pude perceber com minúcias, e brilhante chama violeta-dourada desligou-se da região craniana, absorvendo, instantaneamente, a vasta porção de substância leitosa já exteriorizada. Quis fixar a brilhante luz, mas confesso que era difícil fixá-la, com rigor. Em breves instantes, porém, notei que as forças em exame eram dotadas de movimento plasticizante. A chama mencionada transformou-se em maravilhosa cabeça, em tudo idêntica à do nosso amigo em desencarnação, constituindo-se, após ela, todo o corpo perispiritual de Dimas, membro a membro, traço a traço.

Segundo o parecer de André Luiz, aquela chama violeta-dourada representava "o conjunto dos princípios superiores da personalidade".

Ante tão magnificente narrativa, um só pensamento nos domina, emocionando-nos o coração agradecido, qual seja o de profundo amor pelo nosso Pai celestial — Criador da Vida...

35
Licantropia

Servir-nos-emos de algumas referências do capítulo "Fascinação" para, aceitando a tese da sua progressividade, chegarmos à licantropia, fenômeno a que se referiu Bozzano e que foi, igualmente, objeto de menção pelo assistente Áulus.

Ao estudarmos o capítulo 23 de *Nos domínios da mediunidade*, organizamos, no quadro negro, o seguinte gráfico:

FASCINAÇÃO
- Subjetiva ou psicológica
  - Fenômenos alucinatórios
  - Atitudes excêntricas
  - Fanatismo religioso
- Objetiva ou orgânica
  - Licantropia deformante
  - Licantropia agressiva
  - Anomalias patológicas

Esse mesmo gráfico será, neste livro, o ponto de partida para o escorço que tencionamos fazer acerca da licantropia.

Comecemos por defini-la: é o fenômeno pelo qual Espíritos "pervertidos no crime" atuam sobre antigos comparsas, encarnados ou desencarnados, fazendo-os assumir atitudes idênticas às de certos animais.

A fim de favorecer o desenvolvimento de nossas considerações, iniciemos esta página com um trecho da narrativa de André Luiz:

> A infortunada senhora, quase que uivando, *à semelhança de loba ferida*, gritava a debater-se no piso da sala, sob o olhar consternado de Raul que exorava a Bondade divina em silêncio.
> *Coleando pelo chão*, adquiria animalesco aspecto, não obstante sob a guarda generosa de sentinelas da casa.

Sublinhamos, intencionalmente, as expressões "à semelhança de loba ferida" e "coleando pelo chão". Atitudes realmente animalescas.

Mais adiante, explicando o fenômeno, temos a palavra esclarecedora do Assistente:

> Muitos Espíritos, pervertidos no crime, abusam dos poderes da inteligência, fazendo pesar tigrina crueldade sobre quantos ainda sintonizam com eles pelos débitos do passado. A semelhantes vampiros devemos muitos quadros dolorosos da patologia mental dos manicômios, em que numerosos pacientes, sob intensiva ação hipnótica, imitam costumes, posições e atitudes de animais diversos.

A simples fascinação de hoje — caracterizada por fenômenos alucinatórios, atitudes ridículas ou absurdas e, mesmo, pelo fanatismo religioso — pode agravar-se e progredir de tal maneira que se converta na licantropia de amanhã.

Comprometidos com o passado, por meio de débitos e do nosso acumpliciamento no mal, com entidades inferiorizadas com as quais estamos sintonizados no tempo e no espaço, poderemos ter a nossa vontade submetida ao império hipnotizante dessas entidades.

Enquanto a fascinação tem sentido mais psicológico, a licantropia vai mais além. Reveste-se de aspecto mais objetivo, exteriorizando-se na própria organização somática, ou perispirítica, se a vítima for encarnada ou desencarnada.

Há casos extremos de licantropia deformante, em que a pessoa imita "costumes, posições e atitudes de animais diversos", bem assim de licantropia agressiva, que se expressa por meio da violência, da alucinação e até do crime.

A imprensa sensacionalista relacioná-los-á como fruto de "taras", sem mais explicações; os estudiosos do Espiritismo verão nesses casos apenas manifestações de licantropia agressiva, com poderosa e cruel atuação do elemento invisível.

Quando a Medicina e o Direito estenderem as mãos ao Espiritismo, os seus mais graves problemas serão melhor equacionados.

Anomalias patológicas, modificadoras da configuração anatômica dos pacientes, observadas especialmente em hospitais de indigentes, via de regra expressam a influência terrível de entidades vingativas junto a antigos desafetos.

O Espiritismo — anjo tutelar dos infortunados —, analisando a causa de tais sofrimentos, ajuda as vítimas das grandes obsessões a se recuperarem.

Três condições principais podem ser indicadas como favorecedoras da cura de pessoas que sofrem a atuação dessas pobres entidades, a saber:

a) Estudo (Evangelho e Doutrina);
b) Trabalho (atividade incessante no bem);
c) Amor no coração (converter a própria vida em expressão de fraternidade).

Solucionará o Espiritismo, por meio dos seus milhares de grupos mediúnicos e das dezenas de suas casas de saúde, todos os casos de licantropia?

Responder afirmativamente seria rematada leviandade.

Todavia, além de lhe ser possível equacionar alguns casos, menos entranhados no passado, levará ao coração de perseguidos e perseguidores a semente de luz do perdão, para germinação, crescimento, flores cimento e frutificação oportunos.

No grande porvir, verdugos e vítimas de hoje estarão, redimidos e irmanados, cultivando nos planos superiores o *sublime ideal da fraternidade legítima*.

E não podia deixar de ser assim, a fim de que, agora e por toda a Eternidade, se confirmem, integralmente, as palavras de nosso Senhor Jesus Cristo: "Nenhuma das ovelhas que o Pai me confiou se perderá".

36
Animismo

Revestem-se de profunda sabedoria e oportunidade as palavras do assistente Áulus, no capítulo "Emersão do passado", quando afirma que muitos espíritas "vêm convertendo a teoria animista num travão injustificável a lhes congelarem preciosas oportunidades de realização do bem".

Efetivamente essa é a verdade.

Muitos companheiros se mostram incapazes de remover os obstáculos criados pelo animismo, destruindo, assim, magnífica oportunidade de ajudarem elementos que, buscando os centros espíritas nessas condições, poderiam, posteriormente, contribuir em favor dos necessitados.

Que é animismo?

Essa pergunta deve ser colocada em primeiro plano, no presente capítulo, como ponto de partida para as nossas singelas considerações.

Animismo é o fenômeno pelo qual a pessoa arroja ao passado os próprios sentimentos, "do qual recolhe as impressões de que se vê possuída".

A cristalização da nossa mente, hoje, em determinadas situações, pode motivar, no futuro, a manifestação de fenômenos anímicos, do mesmo modo que tal cristalização ou fixação, se realizada no passado, se exterioriza no presente.

A lei é sempre a mesma, agora e em qualquer tempo ou lugar.

Muitas vezes, portanto, aquilo que se assemelha a um transe mediúnico, com todas as aparências de que há a interferência de um Espírito, nada mais é do que o médium, naturalmente o médium desajustado, revivendo cenas e acontecimentos recolhidos do seu próprio mundo subconsciencial, fenômeno esse motivado pelo contato magnético, pela aproximação de entidades que lhe partilharam as remotas experiências.

No fenômeno anímico o médium se expressa como se ali estivesse, realmente, um Espírito a se comunicar.

O médium nessas condições deve ser tratado "com a mesma atenção que ministramos aos sofredores que se comunicam".

Por isso, a direção de trabalhos mediúnicos pede, sem nenhuma dúvida, muito amor, compreensão e paciência — virtudes que, somadas, dão como resultado aquilo que os instrutores classificam como *tato fraterno*, a fim de que não sejam prejudicados os que em tais condições se encontram.

Se o dirigente de sessões mediúnicas não é portador de sincera bondade, acreditamos que pouco ou nenhum benefício receberá o médium no agrupamento.

Animismo

O médium inclinado ao animismo é um vaso defeituoso, que "pode ser consertado e restituído ao serviço" pela compreensão do dirigente, ou destruído pela sua incompreensão.

Reajustado, pacientemente, com os recursos da caridade evangélica, pode transformar-se em valioso companheiro.

Incompreendido, pode ser vitimado pela obsessão.

Nos fenômenos psíquicos, comuns nos agrupamentos mediúnicos, há, por conseguinte, de se fazer a seguinte distinção:

a) Fatos anímicos,
b) Fatos espiríticos.

Fatos anímicos são, como já acentuamos, aqueles em que o médium, sem nenhuma ideia preconcebida de mistificação, recolhe impressões do pretérito e as transmite, como se por ele um Espírito estivesse comunicando.

Fatos espiríticos, ou mediúnicos, propriamente ditos, são aqueles em que o médium é apenas um veículo a receber e transmitir as ideias dos Espíritos desencarnados ou... encarnados.

O estudo e a observação ajudam-nos a fazer tal distinção.

Uma pessoa encarnada também pode determinar uma comunicação mediúnica, isto é, fazer que o sensitivo lhe assimile as ondas mentais e as reproduza pela escrita ou pela palavra.

Em face da lei de sintonia, pessoas adormecidas igualmente podem provocar comunicações mediúnicas, uma vez que, enquanto dormimos, nosso Espírito se afasta do corpo e age sobre terceiros, segundo os nossos sentimentos, desejos e preferências.

Voltemos, porém, às considerações em torno da necessidade de os dirigentes e colaboradores do setor mediúnico se munirem de recursos evangélicos, a fim de que as tarefas assistenciais, a seu cargo, apresentem aquele sentido edificante e construtivo que é de se almejar nas atividades espiritistas cristãs.

Vejamos a conclusão de André Luiz ante as ponderações de Áulus, e o exame do caso da senhora objeto da assistência do grupo do irmão Raul Silva:

"Mediunicamente falando, vemos aqui um processo de autêntico animismo. Nossa amiga supõe encarnar uma personalidade diferente, quando apenas exterioriza o mundo de si mesma".

A fixação mental — assunto abordado no capítulo próprio, neste livro — provoca o animismo.

Imaginemos, agora, o que pode ocorrer se uma criatura em tais condições busca um núcleo mediúnico onde apenas funciona o intelectualismo pretensioso, seguido da doutrinação periférica, sem o menor sentido de fraternidade!

Em vez de compreensão, tal criatura encontrará, sem dúvida, a ironia e a má vontade, acompanhadas, via de regra, do comentário maledicente.

Em vez de companheiros interessados no seu reajustamento, encontrará verdugos fantasiados de doutrinadores.

Em vez de socorro que se faz indispensável, ver-se-á defrontada, impiedosamente, por companheiros, às vezes até bem-intencionados, que, em nome da "verdade", ou melhor, das "suas verdades", não lhe compreenderão o aflitivo problema.

Ouçamos o assistente Áulus:

> Por isso, nessas circunstâncias, é preciso armar o coração de amor, a fim de que possamos auxiliar e compreender. Um doutrinador sem *tato fraterno* apenas lhe agravaria o problema, porque, a pretexto de servir à verdade, talvez lhe impusesse corretivo inoportuno, em vez de socorro providencial. Primeiro é preciso remover o mal para depois fortificar a vítima na sua própria defesa.

O doutrinador usará sempre do carinho fraterno, fazendo com que as suas palavras, *dirigidas ao Espírito do próprio médium*, levem o melhor que a sua alma possa oferecer.

A consolação e a prece, seguidas do esclarecimento edificante, são os recursos aplicáveis ao caso.

Recorramos ao livro *Nos domínios da mediunidade*, reproduzindo-lhe alguns tópicos relativos ao assunto:

> Solucionados diversos problemas alusivos ao programa da noite, eis que uma das senhoras enfermas cai em pranto convulsivo, exclamando:
> — Quem me socorre? Quem me socorre?!...
> E, comprimindo o peito com as mãos, acrescentava em tom comovedor:
> — Covarde! por que apunhalar, assim, uma indefesa mulher? serei totalmente culpada? meu sangue condenará o seu nome infeliz...

Lembremos que André Luiz e Hilário, em companhia do assistente Áulus, visitam o grupo dirigido pelo irmão Raul Silva, e que a cena acima descrita aparece no capítulo "Emersão do passado".

Notemos que todos os indícios revelam, à primeira vista, as características de uma comunicação mediúnica; contudo, estamos apenas diante de um autêntico *fenômeno de animismo*.

A senhora enferma, com a mente cristalizada no pretérito, identifica-se com cenas desagradáveis, às quais está diretamente ligada.

"Ante a aproximação de antigo desafeto, que ainda a persegue de nosso plano, revive a experiência dolorosa que lhe ocorreu, em cidade do Velho Mundo, no século passado."

É ainda Áulus quem explica:

> Sem dúvida, em tais momentos, é alguém que volta do pretérito a comunicar-se com o presente, porque, ao influxo das recordações penosas de que se vê assaltada, centraliza todos os seus recursos mnemônicos tão somente no ponto nevrálgico em que viciou o pensamento. Para o psiquiatra comum é apenas uma candidata à insulinoterapia ou ao eletrochoque; entretanto, para nós, é uma enferma espiritual, uma consciência torturada, exigindo *amparo moral e cultural* para a renovação íntima, única base sólida que lhe assegurará o reajustamento definitivo.

Esse amparo moral, a que alude o assistente, podemos defini-lo como paciência, carinho e consolo.

O cultural ser-lhe-á ministrado pelo estudo evangélico e doutrinário que, além do esclarecimento, operar-lhe-á a modificação dos centros mentais, reajustando-lhe a mente.

E, concluindo, é oportuno perguntemos:

Podem os serviços mediúnicos prescindir do Evangelho e da Doutrina?

A resposta cada um a encontrará na própria consciência...

37
Fixação mental

Podemos definir o estado de fixação mental de uma criatura, encarnada ou desencarnada, com aquele em que ela "nada vê, nada ouve, nada sente além de si mesma".

Explicar o mecanismo da fixação mental, tal qual se verifica, não é coisa fácil.

O próprio Hilário assim o diz, na consulta que faz ao esclarecido assistente Áulus:

> Sinceramente, por mais me esforce, grande é a minha dificuldade para penetrar os enigmas da cristalização do Espírito em torno de certas situações e sentimentos. Como pode a mente deter-se em determinadas impressões, demorando-se nelas, como se o tempo para ela não caminhasse?

Faremos, todavia, o que nos for possível para retransmitir, na pobreza de nossa linguagem e na indigência de nossas noções doutrinárias, as elucidações do venerável Áulus.

A fixação mental pode perdurar durante séculos e até milênios.

O Espírito isola-se do mundo externo, passando a vibrar, unicamente, ao redor do próprio desequilíbrio, cristalizando-se no tempo.

É como se fosse, em tosca comparação, uma agulha que faz o disco repetir, indefinidamente, a mesma cantilena.

Se dissermos a um Espírito que se comunica com a mente fixa no pretérito, que nos achamos em 1957, dificilmente compreenderá ele as nossas explicações, uma vez que a sua mente, cristalizada no tempo, reflete, tão só, fatos e acontecimentos, impressões e sentimentos do passado, os quais lhe causaram profunda e indelével desarmonia interior.

Um Espírito nessas condições pede tempo e paciência dos componentes de um núcleo mediúnico.

O seu esclarecimento exige carinho e compreensão, além de muita vibração fraterna que, envolvendo-o, o levem ao esforço renovador.

Estudemos o assunto à luz de um simples diagrama.

CAMPO DE BATALHA
- Retaguarda
  - Amargura
  - Lágrimas
  - Humilhação
- Vanguarda
  - Alegria
  - Felicidade
  - Glória

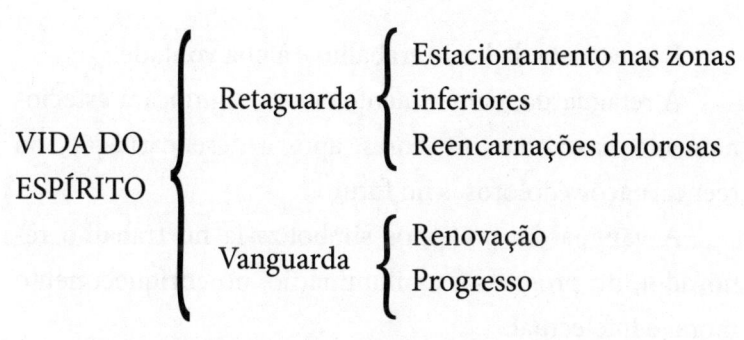

FIXAÇÃO MENTAL

VIDA DO ESPÍRITO
- Retaguarda
  - Estacionamento nas zonas inferiores
  - Reencarnações dolorosas
- Vanguarda
  - Renovação
  - Progresso

A mente humana está simbolizada no soldado que luta pela conquista de posições.

Conforme o esforço, a perseverança, o adestramento, ou a má vontade, o desânimo e a inexperiência, ficará ele na retaguarda, entre mutilados e vencidos ou surgirá, vitorioso, na vanguarda.

O soldado luta por vencer e destruir os inimigos externos.

A mente luta por vencer os inimigos internos, representados pelo egoísmo, crueldade, vingança, ciúme, prepotência, ambição.

O soldado empunhará a espada e o rifle, a granada e a metralhadora.

As armas da mente são a humildade, o espírito de serviço, a bondade com todos, a nobreza, a elegância moral, a disciplina.

Na retaguarda, para o soldado ou para a mente, o cenário é dantesco: amargura, aflição, humilhação, sofrimento.

É a resposta da Lei à preguiça e à negligência.

Na vanguarda, para o soldado ou para a mente, a paisagem é expressiva: alegria, felicidade, glória.

É a resposta da lei ao trabalho e à boa vontade.

A retaguarda, para a mente ociosa, significará estacionamento nas zonas inferiores, após a desencarnação, ou reencarnações dolorosas no futuro.

A vanguarda, podemos simbolizá-la no trabalho renovador, no progresso, na iluminação, no enriquecimento moral e intelectual.

Muita bondade, repetimos, pede o serviço assistencial ao Espírito cuja mente se cristalizou no tempo.

Assemelha-se, nas reuniões mediúnicas, a um louco, a quem falamos do hoje, e ele vê, exclusivamente, o ontem.

"Nada vê, nada ouve, nada sente além de si mesmo."

Os dramas conscienciais que viveu; os conflitos amargos em que se debate; os distúrbios psíquicos originados do abuso do livre-arbítrio, se expressam, na atualidade, em forma de alucinação e fixação mental.

Como poderá um dirigente de sessão que apenas saiba usar o verbo culto e eloquente, sem o menor sentido de fraternidade, ajudar um Espírito nessas condições?

Imprescindível se torna, pois, que os responsáveis pelos núcleos mediúnicos aprimorem os sentimentos e abrandem o coração, a fim de que, identificando-se, de fato, com a necessidade alheia, possam amparar com eficiência.

O conhecimento doutrinário e, especialmente, a assimilação do Evangelho à própria economia espiritual são fatores indispensáveis àqueles que se consagram ao esforço mediúnico, no setor das desobsessões, como médiuns ou dirigentes.

FIXAÇÃO MENTAL

Ainda sobre o mecanismo da fixação mental, ouçamos a palavra do assistente Áulus:

> Qualquer grande perturbação interior, chame-se paixão ou desânimo, crueldade ou vingança, ciúme ou desespero, pode imobilizar-nos por tempo indefinível em suas malhas de sombra, quando nos rebelamos contra o imperativo da marcha incessante com o sumo bem.

A reencarnação, em tais circunstâncias, funciona à maneira de compulsório estimulante ao reajuste.

"Intimamente justaposta ao campo celular, a alma é a feliz prisioneira do equipamento físico, no qual influencia o mundo atômico e é por ele influenciada, sofrendo os atritos que lhe objetivam a recuperação."

Que seria da alma que fixou a mente no passado, não fosse a bênção da reencarnação?

Como reajustar-se no Além-túmulo, se sabemos que, depois do decesso, leva o Espírito todas as impressões cultivadas durante a existência física?

Abençoado seja, pois, o Espiritismo pelos conhecimentos que revela e difunde.

Santificada seja a Doutrina dos Espíritos que "luariza de esperanças" as nossas vidas, fazendo-nos compreender que o grande porvir nos proporcionará recursos evolutivos que nos compelirão a deixar o sarcófago de nossas paixões inferiores e ascendermos a regiões nas quais, na condição de servidores de boa vontade, ser-nos-ão concedidas oportunidades de cooperação com Jesus Cristo na sublime causa da redenção dos outros e de nós mesmos.

As elucidações que, sobre o problema da fixação mental, nos traz o livro *Nos domínios da mediunidade*, levam-nos a grafar, nas linhas seguintes, uma nova subdivisão das formas obsessionais ou obsessivas:

a) Influência do desencarnado sobre o encarnado;
b) Influência do encarnado sobre o desencarnado;
c) Influência do Espírito sobre si mesmo, provocando uma auto-obsessão.

As formas consignadas nas alíneas *a* e *b* são as mais conhecidas.

A da alínea c, menos frequente, é uma decorrência da fixação do Espírito, encarnado ou não, em situações, fatos ou pessoas.

Pensar demais em si mesmo e nos próprios problemas determina uma auto-obsessão.

O indivíduo passa a ser o "obsessor de si mesmo".

Não haverá um perseguidor: ele é, ao mesmo tempo, obsessor e obsidiado.

Obsessão *sui generis* — reconhecemos que existe, sem dúvida alguma, quer entre encarnados quer entre desencarnados.

E muito difícil de ser removida...

38
MEDIUNIDADE POLIGLOTA

Xenoglossia — ou mediunidade poliglota — é a faculdade pela qual o médium se expressa, oral ou graficamente, por meio de idioma que não conhece na atual encarnação.

Há uma interessante monografia de Ernesto Bozzano, por sinal o mais completo estudo que conhecemos sobre o assunto, a qual serviu, subsidiariamente, para os nossos apontamentos.

O presente capítulo deve, pois, ser considerado como o resultado das observações que extraímos do livro *Nos domínios da mediunidade* e das valiosíssimas anotações de Bozzano, em sua obra *Xenoglossia*.

A mediunidade poliglota pode ser classificada da seguinte maneira:

a) Falante (pela incorporação ou na materialização);
b) Audiente;
c) Escrevente (psicografia ou tiptologia);

d) Voz direta;
e) Escrita direta (mãos visíveis ou invisíveis).

Xenoglossia falante é a em que o médium, incorporado, fala em qualquer idioma, seja inglês ou francês, latim ou hebraico, sem conhecer essas línguas.

Pode, também, ouvir os Espíritos em outros idiomas, psicografar mensagens e, ainda, possibilitar sejam grafados caracteres estranhos, em lousas e paredes.

Prescindimos de mencionar inúmeros casos, verificados em cada uma dessas modalidades, por não ser este o escopo fundamental deste livro.

Todavia, podemos afirmar que não são apenas os tratados e monografias que registram tais fenômenos. O Velho e o Novo Testamento são ricos em comunicações xenoglóssicas.

A mediunidade poliglota tem a sua causa no recolhimento de valores intelectuais do passado, os quais repousam na subconsciência do sensitivo ou médium.

Ela decorre, primordialmente, de um simples fenômeno de sintonia no tempo.

Que é "sintonia no tempo"?

É o processo pelo qual a mente humana, ligando-se ao pretérito distante, provoca a emersão, das profundezas subconscienciais, de expressões variegadas e multiformes que ali jazem adormecidas.

A subconsciência é o "porão da individualidade".

Lá se encontram "guardados" todos os valores intelectuais e conquistas morais acumulados em várias reencarnações, como fruto natural de sucessivas experiências evolutivas.

Só pode ser médium poliglota aquele que já conheceu, noutros tempos, o idioma pelo qual se expresse durante o transe.

A criatura que, noutras encarnações, não conheceu o latim, não pode, mediunizada, expressar-se por ele.

É o que se depreende, por sinal com muita lógica, da explicação do assistente Áulus:

> Quando um médium analfabeto se põe a escrever sob o controle de um amigo domiciliado em nosso plano, isso não quer dizer que o mensageiro espiritual haja removido milagrosamente as pedras da ignorância. Mostra simplesmente que o psicógrafo traz consigo, de outras encarnações, a arte da escrita já conquistada e retida no arquivo da memória, cujos centros o companheiro desencarnado consegue manobrar.

Não basta, por conseguinte, ser médium para receber comunicações em outras línguas.

É preciso tê-las conhecido no passado ou conhecê-las no presente.

A leitura da excelente monografia de Bozzano e do livro ora apreciado elucida exuberantemente o assunto, e confirma, sem dúvida, essa conclusão.

39
Psicometria

Segundo a definição do assistente Áulus, a palavra "psicometria" designa a faculdade que têm algumas pessoas de ler "impressões e recordações ao contato de objetos comuns".

Psicometria é, também, faculdade mediúnica. Faculdade pela qual o sensitivo, tocando em determinados objetos, entra em relação com pessoas e fatos aos mesmos ligados.

Essa percepção se verifica em vista de tais objetos se acharem impregnados da influência pessoal do seu possuidor.

Toda pessoa, ao penetrar num recinto, deixa aí um pouco de si mesma, da sua personalidade, dos seus sentimentos, das suas virtudes, dos seus defeitos.

A psicometria não é, entretanto, faculdade comum em nossos círculos de atividade, uma vez que só a possuem pessoas dotadas de "aguçada sensibilidade psíquica". E a nossa atual condição espiritual, ainda deficitária, não permite esses admiráveis recursos perceptivos.

Quando tocamos num objeto, imantamo-lo com o fluido que nos é peculiar. E se, além do simples toque ou uso, convertermos inadvertidamente esse objeto, seja um livro, uma caneta, uma joia ou, em ponto maior, uma casa ou um automóvel em motivo de obsessiva adoração, ampliando, excessivamente, as noções de posse ou propriedade, o volume de energias fluídicas que sobre ele projetamos é de tal maneira acentuado que a nossa própria mente *ali ficará impressa*.

Em qualquer tempo e lugar, a nossa vida, com méritos e deméritos, desfilará em todas as suas minúcias ante o "radar" do psicômetra.

Há um belo estudo de Ernesto Bozzano intitulado "Enigmas da psicometria", por de cuja leitura nos defrontamos com impressionantes narrativas, algumas delas abrangendo fases remotas da organização planetária terrestre.

O processo pelo qual é possível, ao psicômetra, entrar em relação com os fatos remotos ou próximos pode ser explicado de duas maneiras principais, a saber:

a) Uma parte dos fatos e impressões é retirada da própria aura do objeto;
b) Outra parte é recolhida da subconsciência do seu possuidor mediante relação telepática que o objeto psicometrado estabelece com o médium.

Não tem importância que o possuidor esteja encarnado ou desencarnado.

O psicômetra recolherá do seu subconsciente, esteja ele onde estiver, as impressões e sentimentos com que gravou, no objeto, a própria vida.

Bozzano demonstra que não são, apenas, as pessoas os únicos seres psicometráveis.

Além do elemento humano, temos:

a) Os animais,
b) Os vegetais,
c) Objetos inanimados, metais, etc.

O filósofo italiano menciona, na obra citada, extraordinários fenômenos de psicometria por meio do contato com a pena de um pombo, o galho de uma árvore, um pedaço de carvão ou de barro.

Poder-se-á indagar: E se o objeto psicometrado teve, no curso dos anos, diversos possuidores? Com a vida de qual deles o médium entrará em relação?

Explica Bozzano, com irresistível lógica, que o médium entrará em relação com os fatos ligados àquele (possuidor) cujo fluido se evidenciar mais ativo em relação com o sensitivo.

A esse aspecto do fenômeno psicométrico, Bozzano denominou de "afinidade eletiva".

Pela psicometria o médium revela o passado, conhece o presente, desvenda o futuro.

No tocante à relação com o passado e o presente, qualquer explicação é desnecessária, uma vez que a alínea *a* nos dá satisfatória resposta: o objeto, móvel ou imóvel, impregnado da influência pessoal do seu dono, conserva-a durante longo tempo e possibilita o recolhimento das impressões.

E quanto ao futuro?

Devemos esperar essa pergunta.

Aos que a formularem, recomendamos a leitura da alínea b. Outra parte é recolhida da subconsciência do seu possuidor, mediante a relação telepática que o objeto psicometrado estabelece com o médium.

Essa resposta pede, todavia, um complemento explicativo. Ei-lo:

Toda criatura humana tem o seu carma, palavra com que designamos a lei de causa e efeito, em face do qual, ao reingressarmos "nas correntes da vida física", para novas experiências, trazemos impresso no perispírito — molde do corpo somático — um quadro de inelutáveis provações.

A nossa mente espiritual conhece tais provações e permite que o psicômetra estabeleça relação com essas vicissitudes, prevê-las, anunciá-las e, inclusive, fixar a época em que se verificarão.

Como vemos, não há nisso nenhum mistério. É como se o sensitivo lesse, na mente do possuidor do objeto, o que lá já está escrito com vistas ao futuro.

Tudo muito simples, claro e lógico. Nenhum atentado ao bom senso.

Apesar de os diversos temas mediúnicos nos terem levado, algumas vezes, a certas explicações de natureza, por assim dizer, "técnica", elucidativas do mecanismo dos fenômenos, não é este, todavia, o objeto fundamental do livro que procuramos escrever, mais com o coração do que com o cérebro.

Desejamos dar aos assuntos mediúnicos feição e finalidade evangélicas.

A nossa intenção é de que este trabalho chegue aos núcleos assistenciais do Espiritismo Cristão por mensagem de cooperação fraterna, de bom ânimo para os desiludidos, de esperança para os que sofrem, de reabilitação para os que rangem os dentes "nas trevas exteriores"...

Assim sendo, compete-nos extrair, das considerações expedidas em torno de tão belo quão admirável tema — psicometria —, conclusões de ordem moral que fortaleçam o nosso coração para as decisivas e sublimes realizações na direção do Mais Alto.

O conhecimento da psicometria faz-nos pensar, consequentemente, nos seguintes imperativos:

a) Não nos apegarmos, em demasia, aos bens materiais.
b) Combatermos o egoísmo que assinala a nossa vida, com a consequente diminuição das exigências impostas a familiares, amigos e conhecidos.

Em capítulo precedente, tivemos ensejo de relacionar o fato daquela senhora que, desencarnada havia muito, "não tinha força" para afastar-se do próprio domicílio, ao qual se sentia presa pelas recordações dos familiares e dos objetos caseiros.

Em *Nos domínios da mediunidade*, no estudo da psicometria, temos o episódio de uma jovem que, há cerca de 300 anos, acompanha um espelho a ela ofertado por um rapaz em 1700.

Vamos trazer para as nossas páginas parte do relato de André Luiz, a fim de colocarmos o leitor em relação com a ocorrência.

A narrativa é de André Luiz, quando em visita a um museu:

> Avançamos mais além.
> Ao lado de extensa galeria, dois cavalheiros e três damas admiravam singular espelho, junto do qual se mantinha uma jovem desencarnada com expressão de grande tristeza.
> Uma das senhoras teve palavras elogiosas para a beleza da moldura, e a moça, na feição de sentinela irritada, aproximou-se tateando-lhe os ombros.

Acrescenta André Luiz que, à medida que os visitantes encarnados se retiravam para outra dependência do museu, a moça, que não percebia a presença dos três desencarnados, mostrou-se "contente com a solidão e passou a contemplar o espelho, sob estranha fascinação".

Com a mente cristalizada naquele objeto, nele polarizou todos os seus sonhos de moça, esperando, tristemente, que da França regressasse o jovem que se foi...

Gravou no espelho a própria vida...

E enquanto pensar no espelho, como síntese de suas esperanças, junto a ele permanecerá.

Exemplo típico de fixação mental.
Relativamente a pessoas, o fenômeno é o mesmo.

Apegando-nos, egoística e desvairadamente, aos que nos são caros ao coração, corremos o risco de a eles nos imantarmos e sobre eles exercermos cruel escravização, consoante vimos no capítulo "Estranha obsessão".

Enquanto os nossos sentimentos afetivos não assinalarem o altruísmo, a elevação, a pureza e o espírito de renúncia peculiares ao discípulo sincero do Evangelho, o nosso caminho será pontilhado das mais desagradáveis surpresas, estejamos na libré da carne ou no mundo dos Espíritos.

Amar sem ideia de recompensa; ajudar sem esperar retribuição; pensar nos próprios deveres com esquecimento de pretensos direitos; servir e passar — *eis o elevado programa* que, realizado na medida das possibilidades de cada um, constituirá penhor de alegria e paz, felicidade e progresso, neste e no plano espiritual.

Reconhecendo, com toda a sinceridade, a nossa incapacidade de, por agora, executar tal programa, *forte demais para a nossa fraqueza*, podemos, contudo, esforçar-nos no sentido do gradativo afeiçoamento a ele, considerando a oportuna advertência de Emmanuel:

"Se o clarim cristão já te alcançou os ouvidos, aceita-lhe as claridades sem vacilar".

Ainda Emmanuel recorda que "as afeições familiares, os laços consanguíneos e as simpatias naturais podem ser manifestações muito santas da alma, quando a criatura se eleva no altar do sentimento superior; contudo, é razoável que o Espírito não venha a cair sob o peso das inclinações próprias".

"O equilíbrio é a posição ideal."

"A fraternidade pura é o mais sublime dos sistemas de relações entre as almas."

Colocando Jesus Cristo no vértice das nossas aspirações, aprenderemos, com o bem-aventurado aflito da crucificação, a amar sem exigências, a servir com alegria, a conservar a liberdade da nossa mente e a paz do nosso coração.

Aceitando-o, efetivamente, como Sol espiritual que aquece, com o seu amor, desde o princípio, a Terra inteira, a ninguém escravizaremos.

E a única escravização a que nos submeteremos será à do dever bem cumprido...

40
Mediunidade sem Jesus

Um dos capítulos a cujo estudo procedemos com tristeza foi o que aparece em *Nos domínios da mediunidade* com o título "Mediunidade transviada".

Embora não tenha o Espiritismo nenhuma responsabilidade pela prática mediúnica que se realiza com ausência de Jesus, a leitura e a meditação de tal capítulo não deixam de causar dolorosa impressão aos que abraçam o Espiritismo e nele identificam, unicamente, um meio de servir à humanidade sem a preocupação de recompensas.

Para os que ainda duvidam de que "mediunidade não é Espiritismo", as elucidações do assistente Áulus dissiparam, sem dúvida, os fracos vestígios de incerteza que ainda podiam subsistir na consciência dos que pensam, erroneamente, que, onde houver comunicação mediúnica, haverá, forçosamente, Doutrina Espírita.

Espiritismo é uma coisa e mediunidade é outra.

Espiritismo é um corpo de Doutrina, de elevado teor espiritual, consubstanciando normas e diretivas superiores que visam, primordialmente, à elevação do ser humano.

Mediunidade é um dom que possibilita à criatura humana, de qualquer religião, veicular o pensamento e as ideias dos Espíritos.

Essa é a verdade que todos proclamamos e que o assistente Áulus ratifica em termos expressivos ante a surpresa de Hilário:

> — Hilário, é imprescindível recordar que não nos achamos diante da Doutrina do Espiritismo. Presenciamos fenômenos mediúnicos, manobrados por mentes ociosas, afeiçoadas à exploração inferior por onde passam, dignas, por isso mesmo, da nossa piedade. E não ignoramos que fenômenos mediúnicos são peculiares a todos os santuários e a todas as criaturas.

Espírita é, pois, aquele que estuda, aceita e pratica com fidelidade os salutares princípios doutrinários, erigidos por edificante monumento tendente a operar, com o tempo, a renovação do espírito humano.

Médium tanto pode ser o espírita, como o católico, o protestante, e mesmo o ateu ou o materialista.

Um padre, uma freira, um pastor, um taoista, um budista, um xintoísta, um confucionista ou islamita podem ser médiuns.

A conexão entre Espiritismo e mediunidade, e que leva a maioria do povo a considerá-los a mesma coisa, confundindo-os erroneamente, resulta da circunstância de ter o Espiritismo, nas suas admiráveis linhas doutrinárias, estabelecido normas seguras para o exercício da mediunidade, classificando-a convenientemente.

Da nossa literatura clássica, bem assim de compêndios subsidiários, constam apontamentos específicos sobre a mediunidade e sua prática, evidenciando-se, em todos esses apontamentos, a orientação para que os médiuns desenvolvam e cultivem as suas faculdades, tendo em vista o progresso geral.

A Doutrina Espírita encara o mediunismo como um meio de que se serve Deus para auxiliar a humanidade em seu esforço evolutivo.

Os centros espíritas, de modo geral, tomam a si o encargo de orientar, em bases cristãs, o desenvolvimento mediúnico.

Não convidam ninguém, mas abrem as suas portas a todos que lhes buscam o amparo na hora precisa.

Tais ocorrências levam, portanto, os menos avisados a considerar o Espiritismo como responsável por toda expressão fenomênica, o que foge, substancialmente, à realidade dos fatos.

Há Espíritos e médiuns em toda a parte: nos centros, nas igrejas e nos templos protestantes.

Assim como existem espíritas que não cultivam a mediunidade, há médiuns que até odeiam o Espiritismo.

Espiritismo, portanto, não é mediunidade; nem mediunidade quer dizer Espiritismo.

A mediunidade, exercida em nome e sob a responsabilidade do Espiritismo Cristão, será sempre um instrumento de educação para o seu possuidor, uma vez que, por ela, os aflitos serão consolados, os enfermos curados e os ignorantes esclarecidos.

Podemos e devemos mesmo distinguir a mediunidade da seguinte forma:

a) Aquela que se exerce em função de objetivos superiores (mediunidade *com* Jesus).
b) Aquela que se exerce em função de interesses inferiores (mediunidade *sem* Jesus).

Onde a mediunidade se exercite em função de objetivos subalternos, tais como, realizações de casamentos, solução de negócios materiais, obtenção de empregos, etc., somente a má-fé ou a leviandade podem identificar a presença e a responsabilidade do Espiritismo.

Agrupamentos que explorem os Espíritos, tratando de tais assuntos, não são "agrupamentos espíritas".

Reunião de pessoas com o objetivo de influírem, maleficamente, na saúde e na vida do próximo, não é "reunião espírita".

O Espiritismo, como Doutrina codificada, estabeleceu normas para o exercício da mediunidade.

Toda prática mediúnica que foge a tais normas não pode nem deve receber a denominação de "prática espírita".

A mediunidade que se orienta pelo Espiritismo é simples, sem ritual de qualquer espécie; sua finalidade é, exclusivamente, o bem e a elevação espiritual dos homens.

Consultar e explorar os Espíritos sobre assuntos materiais é prática que a Doutrina Espírita não perfilha.

Que se deem, a tais práticas, a denominação que mais agrade aos seus apreciadores, menos a de "práticas espíritas".

A exploração dos Espíritos não suficientemente esclarecidos, além de constituir atividade degradante e antifraterna, representa lastimável abuso pelo qual os responsáveis responderão oportunamente, seja na presente encarnação, como vítimas de terríveis obsessões, seja no Espaço ou no porvir, em futuras reencarnações.

De modo geral, os que agem levianamente com os Espíritos, escravizando-os aos seus caprichos, sofrer-lhes--ão o assédio, transformando-se em criaturas obsidiadas.

Ou, então, serão compelidos a defrontarem-se com tais Espíritos, após a desencarnação, ou a recebê-los, em futuras reencarnações, como filhos, a fim de lhes darem, no porvir, aquilo que agora lhes negam: orientação, amor e respeito.

É o que se depreende, claramente, das seguintes palavras do assistente Áulus, referindo-se às consequências da "mediunidade transviada":

> Na hipótese de não se reajustarem ao bem (os Espíritos que atendem consultas inferiores), tão logo desencarnem o dirigente deste grupo e os instrumentos medianímicos que lhes copiam as atitudes, serão eles surpreendidos pelas entidades que escravizaram, a lhes reclamarem orientação e socorro, e, mui provavelmente, mais tarde, no grande porvir, quando responsáveis e vítimas estiverem reunidos no instituto da consanguinidade terrestre, na condição de pais e filhos, acertando contas e recompondo atitudes, alcançarão pleno equilíbrio nos débitos em que se emaranharam.

Conclui o assistente Áulus esclarecendo que "cada serviço nobre recebe o salário que lhe diz respeito e cada aventura menos digna tem o preço que lhe corresponde".

Atividade mediúnica na qual os interesses inferiores, porque materiais, prejudicam o serviço de amparo aos necessitados constitui processo de vampirização dos desencarnados pelos encarnados.

Os Espíritos que se submetem a tais caprichos são dignos de nossa ajuda e do nosso carinho.

E se hoje lhes recusamos esse carinho e essa ajuda, preferindo explorá-los e mantê-los na ignorância, amanhã seremos compelidos a recebê-los como filhos, a fim de lhes darmos, de todo o coração, o esclarecimento e o amor de que os privamos.

Expostas essas considerações, que se imprimem no papel como símbolo e representação do nosso imenso amor à Doutrina Espírita, somos levados a situar em termos gráficos, para facilidade de nosso estudo e comentários, o doloroso problema da "mediunidade transviada":

Definição: Mediunidade transviada é aquela que se exerce em função de interesses inferiores, à revelia, portanto, das salutares normas que o Espiritismo estabelece para o intercâmbio com os Espíritos.

A "mediunidade transviada" se reveste, pois, das seguintes características:

a) Consultas e exploração de Espíritos ainda ignorantes sobre assuntos materiais (casamentos, negócios, empregos, etc.).

b) Consultas e exploração de Espíritos ainda ignorantes sobre assuntos espirituais inferiores (ação maléfica sobre a saúde e a vida do próximo).

Quem se dedicar a esse gênero de atividade mediúnica não ficará impune.

Apesar da piedade dos elevados instrutores, a lei do reajuste funcionará, inexoravelmente, determinando consequências dolorosas, tais como:

a) Perigo de obsessão resultante da estreita afinidade magnética que se estabelecerá entre os comparsas dessa atividade (médiuns, dirigentes e Espíritos).
b) Encontro, após a desencarnação, em zonas inferiores, com tais entidades.
c) Reencontro, em futuras reencarnações, no círculo familiar, como pais e filhos.

Há muitos recursos de auxílio a grupos que funcionem na base da invigilância e do desapreço aos valores espirituais.

Esse auxílio, sincero e despretensioso, deve efetivar-se por meio de uma colaboração amiga, na qual se evidencie o propósito sadio de levar-lhes o pensamento e a ação edificantes.

Eis, na opinião dos amigos espirituais, os meios pelos quais podemos ser úteis a tais agrupamentos:

a) Exortando-os, fraternalmente, pela conversação amiga, ao estudo evangélico e doutrinário;
b) Distribuindo livros, jornais, revistas e mensagens de teor educativo;
c) Realizando palestras evangélicas e doutrinárias impregnadas de sincera fraternidade, estimulando-os, amavelmente, ao trabalho com Jesus.

A família espírita brasileira, muito numerosa na atualidade, pouco lê, ou melhor, "não estuda" como seria desejável em face do notável desenvolvimento do Espiritismo.

Acreditamos que a intensificação do estudo das obras básicas ou clássicas, da chamada "literatura de Pedro Leopoldo" e de tantos livros publicados por esclarecidos companheiros, contribuiria, sensivelmente, para que agrupamentos mediúnicos desorganizados se ajustassem ao serviço superior, à luz dos postulados doutrinários.

Época virá, estamos certos, em que os responsáveis por esses grupos sentirão a necessidade de convertê-los em legítimos "grupos-mediúnicos-espíritas", funcionando com orientação segura e dentro das normas cristãs da Codificação, cujo sentido de plena atualidade mais e mais se consolida na consciência dos espíritas de boa vontade.

Leopoldo Cirne, lidador espírita dos primeiros tempos, transmitindo mensagem psicofônica em Pedro Leopoldo, adverte quanto à necessidade de remontarmos às fontes da Codificação, a fim de que se preservem a pureza, a cristalinidade e o sentido superior da prática mediúnica.

Estimulemos, pois, o trabalho e o estudo.

Falemos, fraternalmente, da simplicidade de que se devem revestir os trabalhos mediúnicos.

Ressaltemos o elevado sentido espiritual que deve nortear o intercâmbio com os desencarnados.

Evidenciemos o imperativo de renovação moral decorrente do nosso convívio com as "sombras amigas".

Destaquemos o respeito que devemos aos emissários do plano espiritual que nos partilham, fora do veículo físico, as experiências evolutivas.

Salientemos o imperativo de ajudarmos, com a nossa amizade e o nosso desinteresse, os que nos antecederam na "grande viagem".

Deixemos claro, afinal, que os Espíritos menos esclarecidos não são nossos escravos, mas sim irmãos empenhados na mesma luta redentora, com vistas à redenção deles mesmos e de todos nós.

Colaboremos, em conclusão, para que os que se afeiçoam à "mediunidade transviada" sejam, amanhã, sob as bênçãos do Espiritismo, vanguardeiros da "Mediunidade com Jesus"...

41
DISTÚRBIOS PSÍQUICOS

O serviço mediúnico é de tal modo sagrado que não pode dispensar, de forma alguma, a preparação moral e cultural, especialmente aquela de quantos colaboram nesse importante e complexo setor da Doutrina Espírita.

Há necessidade do estudo edificante que esclarece e ajuda o discernimento, tanto para o médium, quanto para o dirigente de sessões.

Os templos espíritas são como os hospitais: precisam de clínicos, competentes e estudiosos, hábeis e humanitários, capacitados a ajudarem eficientemente aos enfermos que ali buscam medicamento e socorro.

Imaginemos a situação de um acidentado que procura o hospital e lá encontra, apenas, criaturas de boa vontade, mas reconhecidamente incapazes de lance operatório difícil e de urgência, ou de medicação preventiva que o resguarde da gangrena e da morte!

O hospital bem aparelhado, material e humanamente, granjeia a confiança e o apreço de uma população inteira.

O centro espírita pode, por analogia, ser comparado a um pronto socorro.

Enfermos de todos os matizes para ali se dirigem, diariamente, confiantes e esperançosos.

São "almas acidentadas" que, nas difíceis jornadas evolutivas, fracassaram amiudadas vezes, caindo e ferindo-se na repetição de dolorosas experiências.

São consciências atribuladas, ansiosas pelo esclarecimento que renova a mente e abre ao Espírito perspectivas de esperança e de fé.

São corações angustiosos que, por muito sofrerem, caminham desalentados, quase vencidos, assemelhando-se, conjuntamente, a uma triste "procissão de aflitos", famintos do pão espiritual.

E o Centro Espírita é, para todos esses desencantados, o refúgio e a consolação.

É o oásis de paz e esperança no qual esperam encontrar Jesus de braços abertos para a doce e suave comunhão da fraternidade e da alegria.

Imaginemos, agora, que os espíritas percam o gosto pelo estudo superior, esqueçam a ternura e a compreensão, e, quais médicos ociosos, alheios aos surtos evolutivos da ciência de curar, insistam na vã tentativa de amparar os que estão entregues ao desânimo e à enfermidade!

É o caso de lembrar a pergunta do Mestre Galileu: "Pode um cego guiar outro cego? Não cairão ambos no barranco?".

Quem procura um centro espírita, por mais humilde que seja esse centro, espera, sem dúvida, encontrar companheiros em condições de, em nome do Cristo, ajudar e socorrer segundo as limitações que nos são peculiares.

Nota-se, em nosso abençoado movimento, uma tendência generalizada no sentido de se aconselhar a todo o mundo, indistintamente, o desenvolvimento da mediunidade.

Será isto aconselhável?

É o que desejamos comentar.

Muitas vezes aquele que procura o centro espírita, apresentando certos desequilíbrios, é apenas um companheiro necessitado de reajuste psíquico.

É um irmão que conduz uma mente desarmoniosa, destrambelhada, necessitado, antes de tudo, de se renovar para o bem e para a luz.

Dever-se-á, nesse caso, levar tal criatura à mesa mediúnica para o desenvolvimento, talvez prematuro, ou ajudá-la, antes, no processo de renovação da mente, a fim de que possa, futuramente, servir com reais possibilidades na luminosa sementeira mediúnica?

A nosso ver, tal orientação não corresponde ao que temos lido na Doutrina e nela aprendido.

Os distúrbios psíquicos podem, francamente, ter causas diferentes, assim especificadas:

a) Origem mediúnica;
b) Resultantes de simples desarmonia mental.

Muitas vezes, reajustada a mente, a faculdade que parecia despontar desaparece em definitivo.

Noutras, após o reajuste mental, as possibilidades medianímicas se ampliam e se enriquecem, abrindo ao novo companheiro valiosas oportunidades de servir ao próximo.

Antes de aconselharmos o desenvolvimento mediúnico, examinemos se se trata mesmo de mediunidade a desenvolver ou de mente a reajustar.

Seja qual for o caso, a prudência e o bom senso aconselham que o processo de cura se realize em duas fases:

a) Renovação da mente,
b) Integração no trabalho.

Quando dizemos "integração no trabalho", queremos referir-nos à atividade cristã, neste ou naquele setor.

Queremos referir-nos à integração da criatura em qualquer gênero de serviço construtivo e fraterno, nobre e edificante.

O trabalho foi, é e será sempre excelente e incomparável recurso para que, dando ocupação à própria mente, defenda e ilumine o homem a sua "casa mental", preservando-a da incursão, perigosa e sorrateira, de entidades ou pensamentos parasitários.

A renovação da mente, como primeiro passo, implica, em síntese, no culto a aplicação de valiosos princípios cristãos, tais como:

a) Disciplina,
b) Estudo,
c) Meditação,
d) Prece.

São requisitos indispensáveis àqueles que, despertando ao calor do Cristianismo Redivivo, desejam, de fato, modificar a própria vida, caminhar com os próprios pés e lutar, sob a inspiração de Jesus, em prol de superiores objetivos espirituais.

A integração no trabalho se expressa, por exemplo, no exercício da atividade mediúnica, se for o caso; no cultivo da fraternidade para com todos; enfim, na adesão sincera e firme aos princípios evangélicos, únicos capazes de acenderem dentro de nossa alma a candeia que nos iluminará os roteiros evolutivos.

Estudemos, pois, todos os que abraçamos o Espiritismo, ante a convicção de que é ele, evidentemente, o libertador de consciências e o consolador de aflitos, a fim de que Jesus, o chefe desse maravilhoso movimento, das esferas esplendentes de onde dirige os destinos da humanidade planetária, possa alegrar-se com a boa vontade e o esforço de quantos, nas fileiras de nossa Doutrina ou de outros santuários religiosos, lutam pela implantação do seu reinado de luz e sabedoria.

Estudemos, médiuns e dirigentes, a fim de que o nosso trabalho se realize na base do amor e da sabedoria, asas com as quais ascenderemos, um dia, aos cumes da Espiritualidade vitoriosa.

Estudemos a fim de que, identificando-nos com o divino Amigo, possamos, um dia, transformar as nossas mãos e as nossas palavras em abençoados instrumentos de auxílio a quantos buscam os núcleos espíritas na certeza de que *nem tudo está perdido...*

42
Materialização (I)

O fator moral nunca está ausente de qualquer realização espírita.

Assim sendo, também nas manifestações de efeitos físicos, as motivações superiores constituem a razão de ser da concordância dos Espíritos em se materializarem.

Todos os fenômenos de materialização são regidos, ou supervisionados, por entidades elevadas, capazes de conduzir com segurança tão importantes, difíceis e perigosos trabalhos.

Nenhum Espírito superior — podemos dizer isto sem pestanejar — concorda em materializar-se simplesmente para atender à curiosidade de A ou B.

Esta convicção nos leva a pensar como é possível um grupo de pessoas, sem o devido senso de responsabilidade ante fenômeno tão complexo, dedicar-se ao trabalho de "fazer sessões de materialização"!

Uma vez que as pessoas não familiarizadas com o Espiritismo costumam confundir "materialização" com "aparição", iniciemos o presente estudo definindo, convenientemente, uma e outra coisa.

Materialização é o fenômeno pelo qual os Espíritos se corporificam, tornando-se visíveis a quantos estiverem no local das sessões.

Não é preciso ser médium para ver o Espírito materializado.

Materializando-se, corporificando-se, pode o Espírito ser visto, sentido e tocado.

Podemos abraçá-lo, sentir-lhe o calor da temperatura, ouvir-lhe as pulsações do coração e com ele conversar naturalmente.

Aparição é o fenômeno pelo qual o Espírito é visto *apenas* por quem tiver vidência.

A materialização é um fenômeno objetivo, e a aparição é um fenômeno subjetivo.

Há, portanto, fundamental diferença entre uma e outra.

Estabelecida a distinção, entremos no assunto.

As reuniões exigem um trabalho preparatório, a que chamaríamos primeira fase, muito intenso, de encarnados e desencarnados, especialmente dos últimos.

Os supervisores espirituais tomam, inicialmente, três principais providências, assim discriminadas:

a) Isolamento do local das sessões num círculo de mais ou menos 20 metros;
b) Ionização da atmosfera;
c) Destruição das larvas.

Materialização (I)

Tais são as primeiras providências tomadas por entidades especializadas.

O isolamento do local se faz por meio de extenso cordão de obreiros esclarecidos, a fim de evitar o acesso de entidades inferiores que podem, não somente perturbar os trabalhos, mas também afetar a pureza do material utilizado nas materializações, tais como ectoplasma, fluidos, etc.

A ionização é, por assim dizer, um processo de eletrificação do ambiente.

A sua finalidade é possibilitar a combinação de recursos para efeitos elétricos e magnéticos.

Os focos de luz, lampejos, etc., que se observam nas sessões, são devidos à combinação de recursos, graças à ionização da atmosfera momentos antes dos trabalhos.

A destruição das larvas por aparelhos elétricos invisíveis (aparelhos espirituais) se executa a fim de evitar que o ectoplasma (força nervosa do médium) sofra "a intromissão de certos elementos microbianos".

"A força nervosa do médium é matéria plástica e profundamente sensível às nossas criações mentais."

Este assunto foi objeto de completa elucidação no livro *Missionários da luz*, sendo aconselhável a sua consulta pelo leitor.

Dessa obra, no capítulo sobre materializações, extraímos estes apontamentos.

Como nos é dado observar, insano é o esforço dos Espíritos na organização de trabalhos de materialização.

Assim sendo, é justo entendamos que somente por motivos superiores os Espíritos se materializam, tais como:

a) Atendimento aos sofredores encarnados, nos serviços de cura;
b) Facilitar investigações científicas respeitáveis, previamente planejadas no plano superior.

Se na parte dos Espíritos há semelhante esforço, visando a resguardar a organização mediúnica e assegurar o bom êxito das materializações, é natural que os encarnados também se preparem e colaborem convenientemente.

Há necessidade da disciplina espiritual e da abstinência de certos alimentos e bebidas que, tomados ou ingeridos, determinam emanações venenosas que podem atingir, prejudicialmente, a organização do médium.

Como? Por quê?

Vejamos: o médium fornece, com abundância, ectoplasma do seu próprio corpo, destinado à materialização dos Espíritos.

Esse ectoplasma, após a desmaterialização dos Espíritos, lhe é restituído ao organismo.

Assim sendo, cumpre preservar a pureza do ectoplasma.

Se o ambiente se acha impregnado de "formas-pensamentos" inferiores e de substâncias venenosas, estas resultantes da ingestão de alimentos grosseiros e bebidas excitantes, o ectoplasma é restituído cheio de impurezas, afetando o aparelhamento fisiológico de quem, com tanta boa vontade, se ofereceu ao serviço: o médium!

Os componentes de um grupo de materialização que funciona na base da seriedade e do respeito, têm, invariavelmente, de tomar as seguintes precauções, abstendo-se de:

a) Alcoólicos,
b) Fumo,
c) Bebidas,
d) Pensamentos inadequados.

Poucos se submetem a essa disciplina, daí os perigos que as reuniões de materialização apresentam.

"Todo o perigo desses trabalhos está na ausência de preparo dos nossos amigos da crosta, os quais, na maioria das vezes, alegando impositivos científicos, se furtam a comezinhos princípios de elevação moral."

Os assistentes, de um modo geral, não tomam conhecimento desses perigos.

Querem apenas ver os Espíritos e deslumbrarem-se ante a maravilha do fenômeno, sem atentar no sacrifício das entidades e do médium.

E, muito menos, nas consequências morais que decorrem do fenômeno.

As materializações, antes de nos empolgarem pelo sentido fenomênico, devem constituir motivo para que, exaltando a Vida imortal e nos lembrando da transfiguração do Senhor, façamos, de nossa parte, o possível para acendermos no coração a lanterna do aperfeiçoamento espiritual.

43
Materialização (II)

No capítulo precedente colocamos em evidência o esforço preparatório dos Espíritos superiores nos cometimentos de efeitos físicos.

Focalizemos, agora, a segunda fase dos preparativos, ou seja, aquela que se inicia logo depois da preparação do ambiente e a sua defesa no exterior, pelos supervisores desencarnados.

Nos fenômenos de materialização, os Espíritos têm que contar com três elementos essenciais a fim de que o trabalho alcance êxito.

A esses elementos, o assistente Áulus, visando, sem dúvida, a melhor compreensão dos estudiosos, dá a denominação de fluidos A, B e C, classificando-os da seguinte maneira:

A — Representando as forças superiores e sutis das esferas elevadas.
B — Recursos ou energias do médium (ectoplasma) e dos seus companheiros.

C — Recursos ou energias tomadas à natureza terrestre, nas águas, nas plantas, etc.

O próprio Assistente acentua que os supervisores não encontram dificuldades na manipulação dos fluidos A e C.

Os fluidos A são puros e contribuem para a sublimação do fenômeno; os fluidos C são dóceis e representam energias extremamente propícias à execução dos trabalhos.

Todavia, quando chega o momento de selecionar e apurar os fluidos B, que representam a contribuição dos encarnados, o esforço dos obreiros espirituais esbarra, sempre, com enormes obstáculos.

Na maioria dos casos é profundamente trabalhoso o serviço de composição dos três elementos (A, B e C), porque, enquanto o plano superior e a natureza oferecem o que de melhor possuem, nós, os encarnados, responsáveis pela contribuição B, primamos em oferecer o que de mais ínfimo detemos, por meio de "formas-pensamentos" absurdas, de emanações viciosas resultantes do uso do fumo e da bebida e do abuso de carnes, bem assim de petições inadequadas, simbolizando os caprichos e incongruências que nos são peculiares.

Vejamos como André Luiz descreve o conjunto dos encarnados:

> As catorze pessoas assembleadas no recinto eram catorze caprichos diferentes.
> Não havia ali ninguém com bastante compreensão do esforço que se reclamava do mundo espiritual, e cada companheiro, em vez de

Materialização (II)

ajudar o instrumento mediúnico, pesava sobre ele com inauditas exigências.
Em razão disso, o médium não contava com suficiente tranquilidade. Figurava-se-nos um animal raro, acicatado por múltiplos aguilhões, tais os pensamentos descabidos de que se via objeto.

Como se vê, pela triste descrição de André Luiz, esmeramos, lastimavelmente, em nos constituir as mais dissonantes notas da sublime orquestração da Vida.

As plantas e as águas, em harmonia com os recursos do plano superior, esbarram contra a indisciplina e a invigilância, o imediatismo e a presunção de nós outros, os encarnados.

Acompanhemos, um pouco mais, a narrativa de André Luiz:

> Os amigos, ainda na carne, mais se nos figuravam crianças inconscientes.
> *Pensavam em termos indesejáveis*, expressando petições absurdas, no aparente silêncio a que se acomodavam, irrequietos.
> Exigiam a presença de afeições desencarnadas, sem cogitarem da oportunidade e do merecimento imprescindíveis, criticavam essa ou aquela particularidade do fenômeno ou prendiam a imaginação a problemas aviltantes da experiência vulgar.

Retomando o fio de nossas considerações, salientemos, ainda, novas providências tomadas pelos supervisores, agora não mais para defender o local das sessões, mas para colocar o médium, fisiológica e psicologicamente, em condições de, a salvo de qualquer surpresa desagradável ao organismo, possibilitar a integralização do fenômeno.

Tais providências se caracterizam pelo socorro magnético, também com três fundamentais objetivos, a saber:

a) Incentivo aos processos digestivos do médium;
b) Limpeza do sistema nervoso para as saídas de forças;
c) Auxílio para o desdobramento do médium.

Com relação ao item *a*, transcrevemos de André Luiz no livro *Missionários da luz*:

> Ele (Alexandre), Verônica e mais três assistentes diretos de Alencar colocaram as mãos, em forma de coroa, sobre a fronte da jovem e vi que as suas energias reunidas formavam vigoroso fluxo magnético que foi projetado sobre o estômago e o fígado da médium, órgãos esses que acusaram, imediatamente, novo ritmo de vibrações.

Sob a ação magnética dos supervisores, notou André Luiz "maior produção de bile e de enzimas digestivos, bem assim acelerada atividade do pâncreas lançando grandes porções de tripsina na parte inicial dos intestinos".

"As células hepáticas esforçavam-se, apressadas, armazenando recursos da nutrição ao longo das veias interlobulares, que se assemelhavam a pequeninos canais de luz."

Ao iniciarem os amigos espirituais o trabalho de assistência aos centros nervosos da médium — item *b* —, observou André Luiz (ainda em *Missionários da luz*) que "as forças projetadas sobre a organização mediúnica efetuavam limpeza eficiente e enérgica, porquanto via, espantado, os resíduos escuros que lhes eram arrancados dos centros vitais".

Quanto ao item *c*, transcrevemos as observações de André Luiz:

> Prosseguindo o exame dos trabalhos em curso, reparei que Verônica alçava, agora, a destra sobre a cabeça da jovem, demorando-a no centro de sensibilidade.
> — Nossa irmã Verônica — explicou o meu generoso orientador — está aplicando passes magnéticos como serviço de introdução ao desdobramento necessário.

As considerações, até o momento expendidas, levam-nos a repetir o que dissemos no início do precedente capítulo: o fator moral tem que estar presente em todas as realizações do Espiritismo Cristão.

Moral que determine o elevado comportamento dos encarnados, ante a magnitude do fenômeno.

Moral que contribua, decisivamente, para a sublimação dos trabalhos e assegure a pureza das manifestações e o perfeito equilíbrio fisiológico do médium.

Moral que faça, de cada um dos componentes do grupo, um irmão interessado, sobretudo, na extensão dos benefícios aos enfermos que ali se congregam.

Moral que grave na consciência de todos a certeza de que, antes da satisfação de nossos caprichos e entusiasmos, paira, altaneiro e sublime, porque revestido de eternidade, o cumprimento da advertência de Jesus Cristo: "O mandamento que vos dou é que vos ameis uns aos outros como eu vos amei".

44
Materialização (III)

Depois de termos, nos capítulos anteriores sobre o assunto, focalizado as providências preparatórias dos supervisores e as medidas acauteladoras atribuídas aos que compõem grupos de efeitos físicos, vamos tratar, agora, do mecanismo das materializações.

Como se processam as materializações?

De uma só maneira ou sujeitas a variações?

Há sempre necessidade de médiuns em transe, em cabines, a fim de que as entidades se possam corporificar?

As elucidações do assistente Áulus respondem a tais perguntas.

As materializações são variáveis, embora invariáveis sejam os seus fundamentos, tendo em vista a ocorrência, em todas elas, dos três elementos essenciais que possibilitam a realização do fenômeno.

Podemos, assim, dividir as materializações em dois grupos diferentes:

a) O Espírito incorpora o perispírito do médium colocado em transe.

b) O Espírito organiza o seu corpo exclusivamente com os elementos essenciais às materializações, sem o concurso do perispírito do médium.

Nas materializações do grupo *a*, enquanto o corpo físico do médium descansa, sob as vistas de terceiros, que atestam a sua presença corpórea na cabine, o perispírito, desprendendo-se, é utilizado pelo Espírito que, então, corporificado, aparece na sala.

Essas materializações são, também, indiscutíveis por motivo muito simples: enquanto o médium, assistido por terceiros, permanece na cabine, o Espírito, materializado, passeia, conversa, distribui gentilezas e faz curativos na sala ante o pasmo geral.

Já tivemos oportunidade de presenciar fenômenos dessa ordem.

Por necessidade de classificação, daremos a essas materializações a denominação de *normais*, *comuns* ou *vulgares*.

E elas são, efetivamente, as mais comuns, considerando os obstáculos que se deparam aos Espíritos por força da condição deficitária dos companheiros encarnados.

Nas materializações do grupo *b*, o fenômeno adquire foros de sublimação.

A todos empolga e apresenta características realmente comprovadoras da sua beleza e magnitude.

Materialização (III)

Essas materializações, que denominamos *sublimadas*, podem dispensar o concurso ostensivo do médium. Verificam-se nos lares, nas ruas, nos campos, nas igrejas, etc.

Embora o ectoplasma não apareça aos olhos daqueles que as testemunham, ele existe e se associa aos dois outros restantes elementos: (a) energias dos planos superiores e (b) recursos tomados à própria natureza.

Alguém o está fornecendo, de forma sutil e que transcende a nossa capacidade de percepção.

O próprio Espírito, por si mesmo e com o concurso de supervisores espirituais, entidades especializadas, leva a efeito a sublime composição dos três referidos elementos, mencionados no capítulo anterior.

Nos Estados Unidos presentemente se realizam, sob as vistas maravilhadas de dezenas e centenas de pessoas, materializações dessa natureza, sem concurso ostensivo de médiuns.

Em outras palavras: sem necessidade de médium em transe.

No deslumbrante cenário da natureza, em pleno campo, os *mortos* se tornam visíveis.

Corporificam-se inteiramente, apresentam a mesma forma da encarnação anterior e confabulam, amistosamente, com os presentes, deixando-lhes, ao se despedirem, mensagens de esperança na eterna Vida, tais como retratos e frases consoladoras...

Um novo Pentecostes, mais sublime e impressionante, se verifica na atualidade.

Em Jerusalém, a multidão observa, extasiada, como se viesse do céu, "um som, como de um vento impetuoso" encher toda a casa onde estavam os discípulos, os quais, ante a surpresa de inúmeros forasteiros, "ficaram cheios do Espírito Santo e passaram a falar em outras línguas".

Nos dias presentes — com reais possibilidades de intensificação no futuro —, temos o maravilhoso Pentecostes na presença corpórea dos amigos que nos precederam na longa viagem, numa afirmação inconteste de que, efetivamente, não podíamos suportar há vinte séculos as maravilhas que o divino Amigo tinha para nos dizer e mostrar...

45
Cristo Redivivo

Estamos ante o capítulo "Anotações em serviço" — penúltimo de *Nos domínios da mediunidade* e, também, penúltimo deste livro.

Nele encontramos valiosos e edificantes apontamentos, todos eles indispensáveis ao estudo da mediunidade, tarefa a que nos propusemos impulsionados pelo desejo de colocar a nossa insignificante pedrinha na construção do templo que o Espiritismo Cristão está erguendo, pouco a pouco, na consciência de cada um de nós.

O capítulo em estudo se desenvolve em forma de brilhante e substancioso diálogo, de que participam o assistente Áulus e o querido André Luiz.

Da análise desse magnífico diálogo, tão rico de lições atinentes à mediunidade, conclui-se que, em tese, os serviços mediúnicos obedecem a quatro principais motivações, assim especificadas:

a) Socorro aos sofredores e ignorantes, encarnados e desencarnados;

b) Atividade limitada aos templos de iniciação, à distância dos necessitados de todos os matizes;
c) Investigações científicas;
d) Exploração dos Espíritos.

São esses, de modo geral, os aspectos fundamentais que assinalam, a nosso ver, o exercício da mediunidade.

Analisemos os diversos grupos, por ordem alfabética, para melhor facilidade do estudo, a fim de verificarmos qual deles apresenta real interesse para os obreiros do Espiritismo Cristão.

Verifiquemos qual o tipo de serviço que nos ajudará a identificarmo-nos com os ideais de fraternidade do Evangelho.

No item *a* encontramos devotados seareiros consagrados ao serviço de cura e de esclarecimento, a encarnados e desencarnados, repetindo o que fez o Mestre e Senhor Jesus durante o seu divino ministério na Terra.

Jesus, indiscutivelmente, viveu sempre entre os enfermos e ignorantes.

Os seus companheiros do colégio apostólico foram, em sua grande maioria, homens rústicos, humildes, simples.

A maioria era constituída de pescadores.

A sua obra de redenção efetivou-se, justamente, no meio de cegos e paralíticos, leprosos e estropiados, prostitutas e publicanos.

Foi esse o seu mundo.

Tais almas, desalentadas e sofredoras, formavam o seu imenso auditório — auditório de aflitos e sobrecarregados.

O cenário era também variado: as margens poéticas do Tiberíades, os montes e vales ou as pequenas aldeias.

Como *médium de Deus*, a sua faculdade esteve a serviço do Pai, curando e ensinando.

O trabalho de Jesus realizou-se, portanto, com todas as características observadas no item *a* do nosso gráfico.

Vejamos o item *b*, no qual o intercâmbio espiritual se verifica a portas fechadas, no cume dos montes, à distância dos necessitados, ou seja, nos templos de iniciação, de que é o Oriente tão pródigo.

Sem dúvida belos fenômenos ali se verificam; monges alados, materializações e desmaterializações e comunicados eruditos... tudo bem longe dos enfermos e dos ignorantes...

Esse aspecto do mediunismo é bem o símbolo do comodismo e do orgulho rotulados ou fantasiados de cultura.

Perguntamos: Teria Jesus Cristo permanecido em templos cujo acesso fosse vedado aos necessitados de todos os matizes?

A resposta encontra-se nos relatos de Mateus e Marcos, Lucas e João...

A resposta é a própria vida de Jesus.

Sobre o item *c*, o do campo das investigações científicas, o comentário é do respeitável Áulus:

> O laborioso esforço da Ciência é tão sagrado quanto o heroísmo da fé. A inteligência, com a balança e a retorta, também vive para servir ao Senhor. Esmerilhando os fenômenos mediúnicos e catalogando-os, chegará ao registro das vibrações psíquicas, garantindo a dignidade da Religião na Era Nova.

Diante da palavra autorizada do Assistente, exaltando o esforço da Ciência, nada temos a acrescentar.

Relativamente ao item *d*, o do exercício mediúnico com objetivos inferiores, reportamo-nos ao capítulo próprio — "Mediunidade sem Jesus".

Expostos, em linhas gerais, os fins objetivados pela prática do mediunismo, dentro e fora do Espiritismo, ocorrem, naturalmente, várias indagações:

Qual o aspecto do mediunismo que deve ser adotado pelos trabalhadores do Espiritismo Cristão? *A*, *b*, *c* ou *d*?

O socorro aos necessitados, do corpo e do espírito, como fez Jesus?

O intercâmbio, egoístico, nos templos de iniciação?

A atividade nos laboratórios, pesando e medindo Espíritos, a fim de comprovar-lhes a sobrevivência?

*

Se desejamos seja Jesus Cristo o inspirador do nosso movimento, deve, evidentemente, o Espiritismo cultivar aquela mesma seara a que o divino Redentor, como *médium de Deus*, consagrou toda a sua existência.

Se lhe chamamos Senhor e Mestre, divino Amigo e Redentor da humanidade, Sol de nossas vidas e Advogado de nossos destinos, por um dever de consciência devemos afeiçoar o nosso coração e conjugar o nosso esforço no devotamento à vinha que por Ele nos foi confiada.

Examinando o trabalho de Jesus, segundo as narrativas do Evangelho, no qual o Filho de Maria aparece identificado com a alegria e a aflição, com a ignorância e o pecado, curando enfermos, distribuindo pão e peixe aos famintos e discursando construtivamente, no serviço de libertação das consciências, encontraremos no exemplo do divino Mestre a resposta às nossas mais profundas indagações.

E se procurarmos, na medida de nossas forças, realizar o programa de fraternidade do Evangelho, estaremos, sem dúvida, colaborando para a restauração da Boa-Nova primitiva e entronizando, no altar do nosso coração, a luminosa figura do Cristo redivivo...

46
ASSIM SEJA...

Concluindo a nossa tarefa, não podemos esquecer os amigos espirituais que nos ajudaram no silêncio das horas mortas...

A esses benfeitores creditamos o júbilo de termos levado até o final esta humilde empresa doutrinária, na qual esperamos vejam todos os companheiros simplesmente o testemunho de nosso devotamento ao Espiritismo Cristão — sublime edifício devido, na Terra, ao excelso Espírito de Allan Kardec.

Assim sendo, tributando-lhes a nossa carinhosa homenagem, encerramos as páginas deste livro com a prece proferida pelo querido André Luiz, ao término da maravilhosa excursão realizada na venerável companhia do assistente Áulus e de Hilário.

A todos os Espíritos que comparecem nas páginas de *Nos domínios da mediunidade* e a outros que nos ajudaram, ocultamente, o nosso respeito e o nosso afeto.

A eles pedimos, com toda a veneração, sejam portadores ao divino Senhor da comovida mensagem de gratidão de nossa alma:

Senhor Jesus!
Faze-nos dignos daqueles que espalham a verdade e o amor.
Acrescenta os tesouros da sabedoria nas almas que se engrandecem no amparo aos semelhantes.
Ajuda aos que se despreocupam de si mesmo, distribuindo em teu Nome a esperança e a paz...
Ensina-nos a honrar-te os discípulos fiéis com o respeito e o carinho que lhes devemos.
Extirpa do campo de nossas almas a erva daninha da indisciplina e do orgulho para que a simplicidade nos favoreça a renovação.
Não nos deixes confiados à própria cegueira e guia-nos o passo no rumo daqueles companheiros que se elevam, humilhando-se, e que por serem nobres e grandes, diante de ti, não se sentem diminuídos, em se fazendo pequeninos, a fim de auxiliar-nos...
Glorifica-os, Senhor, coroando-lhes a fronte com os teus lauréis de luz!...

Assim seja.

ESTUDANDO A MEDIUNIDADE

EDIÇÃO	IMPRESSÃO	ANO	TIRAGEM	FORMATO
1	1	1957	5.016	12,5X18,5
2	1	1958	10.068	12,5X18,5
3	1	1965	5.103	12,5X18,5
4	1	1968	5.103	12,5X18
5	1	1971	10.000	12X18
6	1	1975	15.000	13X18
7	1	1979	10.200	13X18
8	1	1981	10.200	13X18
9	1	1983	10.200	13X18
10	1	1984	10.200	13X18
11	1	1986	10.200	13X18
12	1	1987	20.000	13X18
13	1	1989	15.200	13X18
14	1	1990	5.000	13X18
15	1	1991	10.000	13X18
16	1	1992	10.000	13x18
17	1	1994	15.000	13X18
18	1	1995	15.000	13X18
19	1	1997	10.000	13X18
20	1	1998	10.000	13X18
21	1	2001	3.000	13X18
22	1	2002	5.000	12,5X17,5
23	1	2004	3.000	12,5X17,5
24	1	2004	5.000	12,5X17,5
25	1	2006	2.000	12,5X17,5
26	1	2006	3.500	12,5X17,5
26	2	2008	5.000	12,5x17,5
27	1	2009	6.000	14x21
27	2	2010	8.000	14X21
27	3	2011	8.000	14X21
27	4	2013	2.000	14x21
27	5	2014	2.000	14X21
27	6	2014	4.000	14X21
27	7	2015	3.500	14X21
27	8	2016	3.500	14x21
27	9	2017	3.000	14x21
27	10	2018	1.100	14x21
27	11	2018	1.100	14x21
27	12	2018	1.600	14X21
27	13	2019	1.000	14x21
27	14	2019	2.000	14x21
27	15	2021	2.000	14x21
27	16	2022	2.500	14X21
27	17	2024	1.500	14X21
27	18	2024	2.000	14x21
27	19	2025	1.000	14x21

www.febeditora.com.br
📷📷 @febeditoraoficial
📷📷 @febeditora

Conselho Editorial:
Carlos Roberto Campetti
Cirne Ferreira de Araújo
Evandro Noleto Bezerra
Geraldo Campetti Sobrinho – Coord. Editorial
Jorge Godinho Barreto Nery – Presidente
Maria de Lourdes Pereira de Oliveira
Miriam Lúcia Herrera Masotti Dusi

Produção Editorial:
Elizabete de Jesus Moreira

Capa:
Fátima Agra

Projeto Gráfico:
Redb Style

Diagramação:
Caroline Vasquez

Normalização Técnica:
Biblioteca de Obras Raras e Documentos Patrimoniais do Livro

Esta edição foi impressa pela Viena Gráfica e Editora Ltda., Santa Cruz do Rio Pardo, SP, com tiragem de 1 mil exemplares, todos em formato fechado de 140x210 mm e com mancha de 100x170 mm. Os papéis utilizados foram o Off white bulk 58 g/m² para o miolo e o Cartão 250 g/m² para a capa. O texto principal foi composto em fonte Minion Pro 12/17 e os títulos em Charlemagne Std 19/13,5. Impresso no Brasil. *Presita en Brazilo.*